DATE DUE			
Apr 24 '83			

muchas facetas de méxico

by jane burnett

NTC NATIONAL TEXTBOOK COMPANY • Skokie, Illinois 60076

Preface

Muchas facetas de México lives up to its title. Its easy-to-read text acquaints students of all levels, from beginning to advanced, with the fascinating contrasts, complexities, and cultures of Mexico. With the help of numerous photographs, students not only *read* about the different regions and peoples of Mexico. they also *see* them. The burgeoning modernity of Mexico City, the colonial splendor of Guanajuato, and the awesome mountains of Chiapas are only a few of the *muchas facetas* to unfold before the reader in words and pictures.

Written in a pleasing, narrative style, *Muchas facetas de México* rests on a sound, pedagogical base. It reinforces familiar vocabulary and grammar while it gradually introduces and reinforces new vocabulary. Any words or idioms that may be unfamiliar to or difficult for the student are defined in the margins so that the ease and flow of reading are unimpeded. The marginal definitions, however, complement the master Spanish-English vocabulary in the back of the book.

Also found in the back are questions for each chapter that measure basic reading comprehension and assimilation of cultural information. Whether they are used as exercises to be completed within the class period or as take-home assignments, the questions serve to balance the refinement of reading skills by sparking written and oral responses.

In addition to refining skills and acquiring knowledge, students will also be broadening their understanding of a culture and land different from their own and developing a "feeling" for the *muchas facetas de México.*

Other culture and civilization readers for students of Spanish published by National Textbook Company are found in the listing in the back of the book.

ACKNOWLEDGMENT

The author wishes to acknowledge her thanks to the following organizations for their cooperation in providing the photographs without which this book could not portray Mexico and the Mexican culture so vividly: American Airlines, Braniff Airlines, Canadian-Pacific Airlines, the Mexican Government Tourism Department and the Pan-American Union.

CONTENIDO

Estados Unidos

Océano Atlántico

Monterrey •

Golfo de México

MEXICO

Bahama

Guadalajara •

Cuba

Ciudad
de México •

Veracruz

Haití

• Oaxaca

La Repú
Dominic

Océano Pacífico

América Central

América del Su

I MEXICO

México, una república pintoresca de habla española, está situada al sur de los Estados Unidos en el continente de América del Norte. Este país (el cual, en realidad, se llama los Estados Unidos Mexicanos), es una tierra de muchas facetas. Hay pueblitos encantadores con costumbres indígenas y españolas. Hay plazas, templos, palacios, pirámides y ruinas antiguas; hay, también, corridas de toros, fiestas, dramas y desfiles. Frecuentemente por la noche el sonido de los burros en las calles empedradas, acentúa el canto de los músicos.

Por otra parte, la "nueva cara" de México consiste en casas de apartamentos y edificios de oficinas, altos y modernos. Hay estaciones de televisión, aeropuertos, ferrocarriles, carreteras pavimentadas y fábricas hidroeléctricas para la electrificación.

Esta parte del progreso de México es tan moderna como el "mañana."

El Río Grande forma la mayor parte de la frontera que separa a México de los Estados Unidos. El resto está marcado por pirámides de piedra o de hierro puestas a intervalos a lo largo de la frontera. México se limita al norte con los Estados Unidos, al sudeste con Belice y Guatemala (países de Centro América), al este con el Mar Caribe y el Golfo de México y al oeste con el Océano Pacífico.

México tiene una superficie de 1.969.366 kilómetros cuadrados (760.373 millas cuadradas). La Sierra Madre, una cadena de montañas, cubre casi el sesenta por ciento del país, pero México también tiene desiertos cubiertos de cactos, fértiles valles verdes y selvas vaporosas.

Sí, el país de México es ciertamente una tierra de muchas caras.

pintoresca, picturesque

encantadores, enchanting
costumbres, customs
corridas de toros, bullfights
desfile, parade
sonido, sound
empedradas, stone paved, cobblestone

edificios, buildings
carreteras, highways
fábricas, plants; factories
ferrocarriles, railroads

piedra, stone
hierro, iron

superficie, surface; area
cuadradas, square
cadena, range

selvas, jungles; forests

tierra, land

1

El mexicano es orgulloso y digno.

II LA GENTE

El español es la lengua nacional de México, aunque
más de cincuenta tribus de indios hablan sus propios
dialectos y lenguas.
En su mayor parte, la gente de México es una
mezcla del indio y del español, a causa de los siglos
de casamiento entre las dos razas. Hay todavía algunos
mexicanos, sin embargo, que se jactan de su puro
linaje español, y otros que dicen, con igual orgullo, que
son "indios puros." Menos del dos por ciento de los
mexicanos nacieron en otros países.
El mexicano es orgulloso y digno. Si es rico o pobre,
él nunca tiene pretensiones — quiere ser siempre
él mismo. Tiene el sentido del humor muy agudo, y
más importante, puede reírse de sí mismo tanto como
de otros. En cambio, hay un cierto estoicismo en muchos mexicanos que probablemente heredaron de sus
antepasados indios. Desde la infancia se le ha enseñado
al mexicano a aceptar, con suma dignidad, la desilusión,
el dolor o la muerte.
Sólo una tercera parte de la gente vive en las
ciudades más grandes de México. El resto vive en
pueblitos agrícolas. La mayor parte de los agricultores
no residen en sus granjas, sino en pueblos cercanos.
Las ciudades y los pueblos generalmente se parecen
mucho a las comunidades de España.   En el centro
del pueblo hay una plaza herbosa que es como un
parque municipal en los Estados Unidos. Esta plaza
está rodeada de edificios públicos, de algunas tiendas
y de la iglesia principal del pueblo. Los domingos, y
algunas veces por las noches, la gente se congrega en
la plaza para escuchar la música de la banda o para
conversar con los amigos.
Los mexicanos sienten fuertemente la vida de familia. Crían a sus hijos con disciplina y cariño muy

propios, own

mezcla, blend; mixture
casamiento, marriage todavía, still·
(se) jactan, boast
orgullo, pride

nacieron, born

él mismo, himself agudo, keen
reir (se), laugh
estoicismo, stoicism

enseñado, taught; trained

dolor, pain

granja, farm
(se) parecen, resemble

herbosa, grassy

fuertemente, strongly

3

Del pueblito de San Miguel Allende, en las montañas de México, fue to-
mada esta vista excelente de la iglesia principal que año tras año atrae
a gran cantidad de fieles peregrinos así como de excitados turistas.

Mujeres de la clase humilde lavando en uno de los muchos lavaderos públicos que el Gobierno ha instalado para aquellos que no tienen servicio de agua corriente en casa.

extremo — pero los resultados son muy satisfactorios. A pocas jóvenes les está permitido tener citas sin chaperón, pero casi todos pueden dar un paseo alrededor de la plaza, las muchachas en una dirección y los muchachos en otra opuesta. Se ríen, hablan y coquetean mientras están dando vueltas.

Las mujeres de México generalmente no ocupan su tiempo con cosas fuera de la casa, aunque algunas en las ciudades tienen empleos y otras en áreas agrícolas trabajan en los campos.

A los mexicanos les gustan las fiestas. En cuanto a eso, buscan siempre *alguna* celebración. Muchas personas esperan con impaciencia el "día de compras."

Los indios fueron los primeros habitantes de México, y en ciertas regiones todavía viven como sus antepasados antes de la llegada de los españoles en el siglo dieciséis.

citas, dates

dando vueltas, circling

fuera, outside

antepasados, ancestors

Entre los productos nacionales, encontramos alrededor de cuarenta distintos tipos de plátano y todos de un sabor diferente y delicioso.

6

MUCHAS FACETAS DE MEXICO

A. LA ROPA

Generalmente los turistas esperan ver a *todos* los mexicanos llevar *todos los días* el vestido nacional de fiestas. Al viajar por el país descubren pronto que México es una tierra de "muchas distintas ropas" tanto como de "muchas distintas caras."

En las ciudades, muchas personas se visten elegantemente como las de las ciudades de los Estados Unidos, aunque frecuentemente durante los domingos y los días de fiesta se visten del traje nacional.

El traje típico de los hombres mexicanos es el de los charros. Consiste en un chaleco corto y pantalones muy estrechos, decorados con oro y plata; también tienen una corbata lazada, botas, espuelas y un gran sombrero con joyas y muchos adornos.

La "China Poblana" (la muchacha de Puebla), es el vestido preferido de la mayor parte de las mujeres mexicanas. Consiste en una falda amplia, roja y verde, decorada con muchos adornos; consiste también en un mantón de seda, y una blusa de mangas cortas decorada con bordadura. Se llama "China Poblana" porque fue la ropa preferida de una famosa princesa oriental que fue secuestrada por unos piratas portugueses y traída a México en el siglo diecisiete.

La mayor parte de la gente de las regiones rurales no se viste tan a la moda como la de las ciudades. En realidad, muchos indios se visten como sus antepasados; la ropa se hace en casa, y muchas veces se teje allí también. A los turistas esta ropa les parece muy interesante y extraordinaria.

Unas mujeres indias llevan mantillas como los gorros de los niños americanos. Otras llevan *dos* blusas: una para el cuerpo, y otra adicional sobre la cabeza.

Los hombres zinacantecos llevan sombreros planos como platillos, con cintas coloradas pendientes; llevan,

---

traje, suit; costume

chaleco, vest

lazada, bow   espuela, spur
joyas, jewels; gems

vestido, costume; garb

bordadura, embroidery

secuestrada, kidnapped

(se) teje, is woven

gorro, bonnet

cinta, ribbon   pendiente, dangling

Las chinas poblanas y el charrito, unos de los más conocidos atavíos mexicanos son tres de los muchos y muy coloridos trajes de la República.

La virilidad del hombre mexicano puede ser apreciada en esta gallarda foto del Presidente de la Asociación de Charros de México.

El rebozo es una prenda de vestir que fue copiada de la mantilla castellana y que la indígena mexicana ha adoptado completamente como medio de cubrirse del frío y también para proteger a sus infantes.

raya, stripe bufanda, scarf; muffler

borla, tassel

algodón, cotton

herramienta, tool

también, pantalones blancos cortos, sarapes blancos con rayas rosadas y bufandas con borlas de rojo intenso.

Hoy muchos indios todavía llevan camisas blancas, pantalones blancos de algodón y sombreros grandes de paja, que se llevaban en tiempos antiguos. Generalmente tienen un machete grande pendiendo de la cintura, y pueden usarlo tanto como herramienta como para arma.

Sin embargo, el artículo de ropa más usado hoy en todo México, es el sarape — tanto como manta como para abrigo.

Un indio que lleva la camisa blanca y pantalones blancos vende sus productos en el mercado de Cuernavaca.

B. LAS COMIDAS

tal como, just as
alrededor, around

cosecha, harvest maíz, corn

desarrolladas, developed

sembrar, to sow
éxito, success
oración, prayer
pidiendo, asking for

ablandado, softened
cal, lime hervido, boiled
molido, ground up harina, meal

panqué, hot cake
por medio de, by means of
palmada, slap

típicas, typical
carne, meat
crujiente, crisp

cuchara, spoon

legumbres, vegetables

pavo (guajolote), turkey

Tal como las ciudades y los pueblos de México se construyeron alrededor de una plaza central, también la civilización de México se estableció alrededor del cultivo y de la cosecha del maíz.

Por muchos siglos el maíz ha sido la comida básica de todo México. En realidad, se cree que más de 3.500 clases de maíz fueron desarrolladas durante todas las épocas.

A causa de su propio uso de la astronomía, los antiguos indios mayas crearon un calendario muy exacto para sembrar, cultivar y cosechar el maíz con más éxito. Su propia religión también fue creada para sus ceremonias y oraciones pidiendo sol y lluvia para el maíz.

Hoy, como hace más de 3.000 años, el maíz es el alimento principal de México. El maíz es ablandado en una solución caliente de cal; después es hervido y molido en harina de maíz.

El plato favorito de harina de maíz es la tortilla (algo como "el panqué" en los Estados Unidos). Las mujeres dan forma a las tortillas por medio de unas palmadas por arriba y abajo de una mano a otra. En realidad, el sonido de estas "palmadas" y el olor de chile, son dos cosas típicas en todo el México de hoy.

Cuando la tortilla está llena con carne o queso, se llama un "taco"; cuando frita crujiente (y algunas veces llena de frijoles), se llama una "tostado." Los mexicanos comen tortillas con casi todas las comidas. A menudo las usan como cucharas con frijoles y otras cosas.

Después de las tortillas, los frijoles y el arroz son los platos preferidos en México, pero la gente come también muchas clases de legumbres, frutas y carnes. Sin embargo, en la mayor parte del país, el plato favorito de los días de fiesta es el pavo (o como lo llaman los mexicanos, el guajolote), como en los Estados Unidos.

12

El mercado de Taxco en donde se venden muchas clases de legumbres y frutas. Las telas blancas dan sombra a los vendedores y a los compradores.

13

Corrida de toros en la Ciudad de México. Esta plaza es la más grande del mundo y en la parte de afuera, tiene estatuas de los grandes maestros.

C. LAS RECREACIONES Y LOS DEPORTES

La fiesta es el pasatiempo principal de la gente de México. Sin embargo, se divierten en muchas otras recreaciones tales como dramas, cinemas, títeres y deportes.

La fiesta es un tiempo de alegría, música y ruido; campanas tocan, voces cantan, bandas tocan y vendedores gritan sus mercancías. Hay comida y bebida en todas partes. En los puestos a lo largo de las aceras, se venden frutas, frijoles, postres, todas clases de carne asada, y naturalmente, tortillas y tacos.

La fiesta es algo como la feria condada de los Estados Unidos, excepto que la fiesta incluye la religión con las diversiones y los comercios. Por lo menos una vez al año, los pueblos y las ciudades celebran una fiesta para honrar a sus propios santos patrones. La iglesia donde la gente reza y enciende velas, está decorada con flores y muchos papeles colorados. Durante la celebración, la gente come y bebe, baila, y también mira los desfiles, las peleas de gallos, y por la noche los fuegos artificiales. En las ciudades más grandes, hay los caballitos, la rueda de la fortuna y otros paseos.

Los bailarines de las fiestas, llevando trajes pintorescos, dramatizan los cuentos de la historia de México, especialmente los de las batallas entre los españoles y los indios en el siglo dieciséis. También dramatizan unos cuentos románticos.

Algunos deportes populares de México son jai alai, beisbol, polo, tenis, basquetbol, y naturalmente, las corridas de toros. La Ciudad de México tiene la plaza más grande de todo el mundo.

En la ciudad de Monterrey, los muchachos de la "liga pequeña" de beisbol, se hicieron famosos cuando ganaron el campeonato del mundo. Se hizo una película para contar su triunfo.

(se) divierten, enjoy
títeres, puppets

ruido, noise
campana, bell cantan, sing
gritan, call out
puestos, stalls
acera, sidewalk postre, dessert

feria condada, county fair

reza, pray

pelea de gallos, cockfight
fuegos artificiales, fireworks
caballitos, merry-go-round

deportes, sports

liga pequeña, little league
(se) hicieron, became
ganaron, won (se) hizo, was made
película, movie

15

Floreo en el Rancho del Charro, en uno de los suburbios elegantes de la Ciudad de México. El arte de manejar la reata es sumamente apreciado.

jinete, horseman

peligrosa, dangerous saltar, jump

agarrarse, hang onto crin, mane

entrenados, trained

Los mexicanos son jinetes excelentes. Se comprueba en el polo, en la corrida de toros y en las muchas competencias de los rodeos. Una competencia muy peligrosa del rodeo consiste por el jinete en saltar de un caballo corriendo y montar a un bronco corriendo sin tener nada de que agarrarse excepto la crin.

En México se encuentran algunos caballos entrenados como los mejores del mundo.

Indígenas aztecas ataviados con trajes como los de sus antepasados, ofrecen exótico espectáculo al paseante, al ejecutar una de sus danzas en Xochimilco, donde se cultivan gran variedad de flores y verduras.

MUCHAS FACETAS DE MEXICO

D. LAS CASAS

empezaron, began

caserío, settlement

Hay muchas clases de casas en México. Aunque la mayor parte de los pueblos y ciudades empezaron como caseríos indios hace siglos, los españoles los reconstruyeron como comunidades españolas. Por lo tanto, en las partes más viejas de las ciudades hoy se encuentran muchas casas construidas a la moda española.

asegurar, assure

ventana, window

Para asegurar la vida privada, estas casas generalmente tienen pocas ventanas a la calle, pero tienen balcones donde la familia, cuando gusta, puede sentarse y conversar con los amigos que pasan.

Las casas y apartamientos en las áreas más nuevas de las ciudades son parecidos a los de los Estados Unidos.

palo, pole

barro, clay; mud

Los tipos de casas en México dependen mucho del clima de las regiones distintas. Donde hay mucha lluvia, las casas tienen tejados inclinados; también, en muchas casas, los muros son de palos cubiertos de una mezcla de cal y barro que resiste a la lluvia mejor que otros materiales.

ladrillo, brick secadas, dried

tejado, roof

hojalata, metal plates; sheets
tejas, tiles paja, straw

finales redondeados, rounded ends
hojas de palma, palm leaves

La gente que vive en la meseta central donde el clima es más árido, construye las casas de piedras, ladrillos, o adobe (ladrillos secados por el sol). Estas casas tienen tejados planos hechos de hojalata, tejas rojas o algunas veces de paja.

La mayor parte de las casas de Yucatán son rectangulares con los finales redondeados. Los tejados son de hojas de palma.

Algunos indios del sur de México viven en casas completamente redondas.

muebles, furniture

En México, como en los Estados Unidos y muchos otros países, la gente rica tiene muchos muebles hermosos y la gente pobre no tiene casi nada.

18

¿Quiere usted transportarse a un mundo romántico y lleno de evocación?, ¿qué le parece una visitada a Querétaro, ciudad de cuyo encanto y tradición se prende el viajero que a ella llega?

¡Qué contraste tan grande puede uno notar en la ciudad del Distrito Federal! Esta vista de modernos edificios sobre el Paseo de la Reforma nos indica que la arquitectura es audaz y elegante.

He aquí una de las muchas formas de atrevida construcción en este país en que la arquitectura se demuestra en toda su potencia.

MUCHAS FACETAS DE MEXICO

Cuando uno se encuentra en la Ciudad de México, una de las primeras cosas que se deben de hacer es ir al edificio de La Torre Latina para desde su mirador poder ver la ciudad completa, los majestuosos volcanes y las montañas.

E. LA RELIGION

Las leyes de México autorizan la libertad de elegir su propia religión. Casi el noventa por ciento de los mexicanos son católicos romanos, incluso algunas tribus de indios que combinan las antiguas costumbres paganas con sus creencias cristianas.

creencias, beliefs

Los mexicanos han construido algunas de las catedrales más hermosas de todo el mundo. La primera, la Catedral de México en la capital, tiene más de 400 años. Fue empezada en 1525. Desde aquel tiempo la gente ha agregado más y más extensiones, y hasta hoy es la más grande de todo el país. El sonido de las campanas se oye por lo menos hasta seis millas.

agregado, added

La Virgen de Guadalupe es la santa patrona de México. Se cree que la Virgen apareció ante un indio humilde, Juan Diego, en diciembre de 1531, sobre un cerro peñascoso cuatro millas al norte de la Ciudad de México. La Virgen le habló a Juan. Quería una capilla construida en el mismo sitio y le pidió decírselo al obispo, Juan de Zumárraga.

apareció, appeared

cerro peñascoso, rocky hill

capilla, shrine
obispo, bishop

Ahora, cada año, miles de mexicanos hacen peregrinaciones a la famosa capilla de la Virgen de Guadalupe, y muchos de ellos caminan cientos de millas.

peregrinaciones, pilgrimages

Además de la Navidad, la Pascua, y el día de los Reyes Magos, México tiene muchos otros días de fiesta, tales como el Día de los Difuntos y el Día de Todos los Santos, los cuales honran a los muertos. Hay también un Día de los Animales cuando la gente lleva sus animales para ser benditos por los sacerdotes.

Navidad, Christmas Pascua, Easter

bendito, blessed sacerdote, priest

La única restricción puesta en los grupos religiosos por las leyes es que no participan en asuntos políticos.

asuntos, affairs

23

La gran catedral de México, que fue construida sobre las ruinas del gran Teocalli azteca o templo mayor de Tenochtitlán y que es considerada como una de las más antiguas de América.

Para los indígenas mexicanos es muy importante tener ante ellos una virgen morena como ellos. En el pueblecito de la Villa se encuentra la Señora a la cual, andando de rodillas, van a rezar y a pedirle favores.

El modernismo ha invadido la religión también y encontramos que la
arquitectura de muchos de estos modernos templos es extraordinaria,
como la que que observamos en la foto y que se encuentra en la ciudad
de Cuernavaca.

III EL TRABAJO DE LA GENTE

La agricultura es la industria principal de México, pero hoy mucha gente está recurriendo a maneras distintas de ganarse la vida. Más del sesenta por ciento de los mexicanos se gana la vida en la agricultura, el dieciséis por ciento trabaja en fábricas y el resto trabaja como artesanos, pescadores, mineros, empleados públicos y en muchas otras ocupaciones.

recurriendo a, turning to

ganarse la vida, making a living

artesanos, craftsmen

La falta de lluvia en muchas regiones ha impedido el desarrollo de la agricultura de México, pero otras cosas también son responsables.

impedido, hindered; slowed down

Aunque se encuentran nuevos métodos y equipo de cultivar en muchas partes del país, algunos indios todavía plantan su maíz a la manera de los indios mayas hace siglos. Hacen hoyitos en la tierra con palos puntiagudos, plantan las semillas, y después las cubren con tierra (usando el palo otra vez, o su pie).

hoyito, hole

puntiagudo, pointed semillas, seeds

Cuando los hombres blancos vinieron a México, trajeron caballos, bueyes y arados. Estas cosas hicieron más fácil el cultivo de la tierra, pero también causaron la destrucción más rápida.

trajeron, brought arado, plow

Los españoles cortaron muchos árboles de las laderas. A los indios no les gustó porque habían dejado crecer esos árboles para guardar el agua e impedir la erosión del suelo. El proceso de erosión comenzó cuando los campos de maíz se plantaron más hacia arriba en los cerros; a causa de esta erosión, mucha de la tierra alta es árida hoy.

ladera, slope

guardar, to store

árida, barren

También los españoles establecieron haciendas robándoles a los indios su tierra. Después los indios estaban obligados a trabajar para los hacendados, como se llamaban los rancheros nuevos.

Pasaron siglos antes que muchos indios tuvieran otra vez su propia tierra. Fue después de muchos años y de muchas revoluciones que nuevas leyes hicieron

leyes, laws

27

El humilde burro es todavía uno de los medios de transporte y carga e
tre los naturales; su docilidad aunada a sus enormes ojos tristes le h
cen ser el tema favorito de acuarelas, caricaturas y lo "típico."

Plutarco Elías Calles era sumamente astuto y tenía un buen grupo de ayudantes en la presidencia y con su cooperación comenzó a construir presas. La de la foto fue construida en el Estado de Aguascalientes.

30

posible la redistribución de alguna tierra a los propietarios originales. Sin embargo, hoy todavía hay muchas haciendas en todo el país.

en todo, throughout

Las leyes no pudieron resolver un problema grande: la falta de buena tierra útil, y este problema se está haciendo cada día más grave. La estadística indica que México tendrá que cultivar 10 millones de hectáreas (25 millones de acres) adicionales de tierra irrigada dentro de los próximos treinta años, a causa del crecimiento rápido de la población. Sólo 2,5 millones de hectáreas (6 millones de acres) están bajo irrigación ahora.

crecimiento, growth

Por lo tanto, la gente de México se está esforzando mucho por hacer su tierra más productiva, accesible, habitable y útil. Los mexicanos están construyendo caminos nuevos para hacer algunas regiones más accesibles. Están dominando los ríos para regar, y también para electrificar. La electrificación hará posible la industria regional y dará empleo y vida para muchísimas personas que antes han dependido de la agricultura. Con mejores métodos de dominar la enfermedad y purificar el agua, mucho más tierra tropical será útil.

(se) esforzando mucho, trying hard

regar, irrigate

enfermedad, disease

Por lo general, la industria de ganado se encuentra en la parte norte de la meseta central, donde manadas muy grandes de vacas pacen cerca de la frontera de los Estados Unidos. Los mexicanos en otras partes del país también crían burros, caballos, cerdos, ovejas y cabras.

ganado, livestock
manadas, herds
pacen, graze
cerdo, hog ovejas, sheep
cabra, goat

31

La industria del henequén en México
la encontramos principalmente en Yucatán, en donde es cultivado con
mucho éxito por los mayas.

A. OTRAS INDUSTRIAS

México produce mucho petróleo y las refinerías grandes de *Tampico* y de otras ciudades fabrican productos de petróleo principalmente para uso en su propio país.

Las minas que producen plata, oro, carbón, plomo, zinc y otros minerales, proveen empleo para miles de obreros mexicanos.

obrero, worker

México también es uno de los productores principales de café, algodón, plátanos y, naturalmente, de maíz.

plátano, banana

Los productos de plata son abundantes en todo el país, pero los mercados de *Taxco* tienen una variedad más grande que la que se encuentra en otras ciudades de México.

Los instrumentos musicales por lo común son de *Michoacán.*

cerámica, pottery máscara, mask

Máscaras de carnaval y cerámica ceremonial se hacen en *Guerrero* y *Oaxaca* (que también producen cerámica negra y morena).

vidrio soplado, blown glass

Guadalajara es famosa por su vidrio soplado muy hermoso, pero también produce cerámica verde y amarilla de excelente calidad.

Los sarapes de las regiones distintas de México se reconocen sin dificultad por su color y diseño. Los sarapes de *Pátzcuaro* son de color oscuro con diseños rojos y sencillos; los de *San Luis Potosí* y *Aguascalientes* son tejidos tirantes de muchos colores; los de *Santa Ana* y *Teotitlán* son color de lana natural, y

tejido tirante, tightly woven

34

En la industria mexicana, encontramos que todavía hay lugar para el individualismo en la producción y casi siempre puede uno encontrar obras de arte entre sus productos, en los cuales ponen orgullo especial en hacer.

Este pintoresco pueblecito en el corazón de la montaña no ha cambiado con el pasar de los años; el gobierno lo cuida con gran esmero y es considerado un monumento, porque los edificios modernos no se pueden construir en ninguna parte de Taxco y sus alrededores.

Esta señorita es nativa de una de las provincias más famosas por sus mujeres hermosas: Guadalajara, en el Estado de Jalisco. La loza de barro hecha en el pueblito de Tlaquepaque, junto a esa ciudad, es única.

La paciencia y gusto con que el alfarero mexicano decora sus objetos de barro es notable. Mucha de la alfarería primitiva tiene gran semejanza con la del antiguo Oriente.

sencillo, simple; uncomplicated

espejo de estaño, tin mirror

juguetes, toys

canasta, basket

cervecería, brewery

ciruela, plum trigo, wheat

ganado, cattle

costura, seam

pozo, well

reata, rope

jabón, soap acero, steel

tienen diseños sencillos en los bordes. De los miles de sarapes hechos a mano en México cada año, ningunos son idénticos.

La gente que vive en la meseta hace distintas clases de productos de metal; también hacen candeleros colorados, canastas, espejos de estaño y juguetes para los niños. Muchas veces un hombre de la meseta yendo al mercado de una ciudad cercana, teje una canasta o un sombrero de paja mientras camina al lado de sus burros. Otro se ve sentado al lado del camino tejiendo un sombrero mientras descansa.

Mexicali, una ciudad cerca de la frontera de los Estados Unidos, ahora es uno de los centros más grandes de todo el mundo para tratar el algodón. Una fábrica de celulosa en *Chihuahua* transforma la madera en pulpa para la industria papelera. *Monterrey* tiene muchas fábricas, incluyendo cervecerías para dos de las cervezas más excelentes de todo México. *La Paz* es uno de los lugares productores de las perlas más grandes de todo el mundo. *Puebla* es el centro comercial para los productos agrícolas de áreas cercanas, tales como: manzanas, ciruelas, naranjas, maíz, trigo y ganado. Una fábrica de *Veracruz* manufactura tubos sin costura para exportar y también para usar en los pozos de petróleo de México.

Otras fábricas en el país producen equipo agrícola, utensilios eléctricos, maquinaria, reatas, cigarros, cigarrillos, cemento, jabón, acero y hierro.

La industria pesquera es muy importante para los mexicanos. Algunos dependen del pescado para su alimento, pero también, la pesca deportiva es una de las atracciones turísticas más grandes. Por ejemplo, *Guaymas* y *La Paz* son lugares para pescadores, y son los más viejos y mejores del Golfo de California.

38

Ya hay fábricas de ensamblaje en México, y las partes de las distintas marcas de carros llegan a grandes edificios como éste, para salir convertidos en bonitos y útiles carros.

En esta pequeña fábrica que se encuentra cerca del famoso Mercado de la Merced, puede uno admirar lo artístico del obrero mexicano, ya que mientras les ve uno trabajar, crean artísticas figuras y filigranas de vidrio de colores que galantemente le obsequian.

39

Las artísticas redes que usan estos indígenas del Lago de Pátzcuaro, Mich., son únicas, no se encuentran en ningún otro estado de México. Las usan para sacar pescado blanco de sus aguas, el cual es reconocido como superior.

Sobre las doradas arenas de la playa de Hornos ponen los pescadores sus grandes redes, para remendarlas y secarlas, pues la demanda de pescado que naturales y turistas consumen deja buenas ganancias.

redes de alas de mariposa,
butterfly-shaped nets

Naturalmente, un viaje por México no es completo sin ver a los pescadores del *Lago Pátzcuaro* que pescan con redes de alas de mariposa a la manera de sus antepasados.

En las ciudades de México los empleos y otras ocupaciones son como los de los Estados Unidos. Sin embargo, una industria predomina en todo el país: el turismo. Cada año más y más turistas vienen a ver este país hermoso y pintoresco.

40

IV LA TIERRA Y SUS RECURSOS

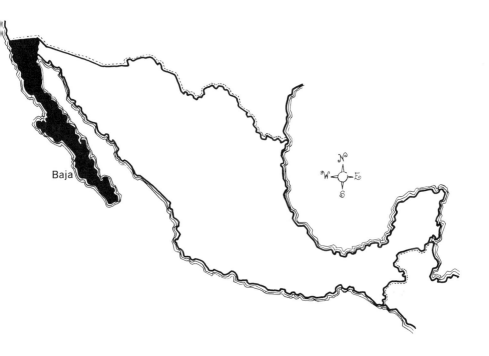

México se divide en seis regiones principales:

(1) BAJA CALIFORNIA es una península estrecha que se extiende 1.304 kilómetros (810 millas) hacia el sur, desde el rincón noroeste de México. Esta península forma el límite occidental del Golfo de California. A lo largo de la parte oriental se encuentran cadenas de montañas áridas; desiertos cubren casi toda la parte occidental. Más de la mitad de la gente vive en cuatro ciudades: Mexicali, Tijuana, Ensenada y La Paz.

estrecha, narrow

rincón, corner

mitad, half

41

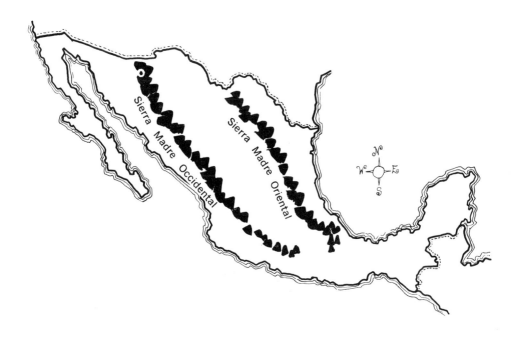

(se) eleva, rises

(2) La SIERRA MADRE forma una gigantesca "V." La punta está en el sur de México y los brazos se llaman la Sierra Madre Oriental y la Sierra Madre Occidental. La parte de la base de la "V" es la Sierra Madre del Sur, y se eleva en la región entre el Istmo de Tehuantepec y la Ciudad de México.

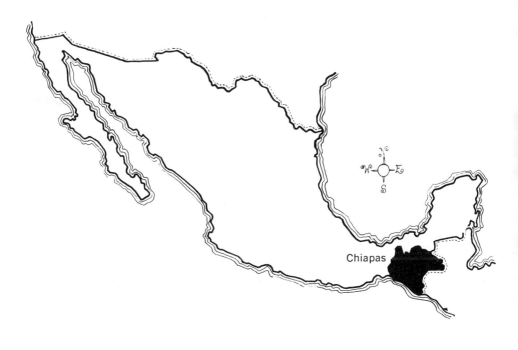

(3) LAS TIERRAS ALTAS DE CHIAPAS es el nombre de la región montañosa entre Guatemala y el Istmo de Tehuantepec. Esta cadena también se llama Sierra Madre, pero forma parte de una cadena de montañas que se extiende por Centro América. Esta cadena *no forma* parte de la Sierra Madre de México. Los residentes de esta región generalmente son agricultores que cultivan la tierra fértil del Valle de Chiapas.

43

México está lleno de paisajes majestuosos y maravillosos como éste que fue logrado en la zona de Chiapas, cerca de la frontera de Guatemala y que no es muy conocido por los turistas, lleva por nombre El Sumidero.

meseta, plateau corazón, heart

(4) La MESETA CENTRAL es el corazón de México. Está situada entre la Sierra Madre Oriental y la Sierra Madre Occidental. Esta meseta se eleva de 1.094 metros (3.600 pies) cerca de la frontera de los Estados Unidos, a más de 2.432 metros (8.000 pies) cerca de la Ciudad de México. Pocas personas viven en el desierto al norte, pero hay muchas que viven en la zona del sur, la cual es más fértil y menos árida.

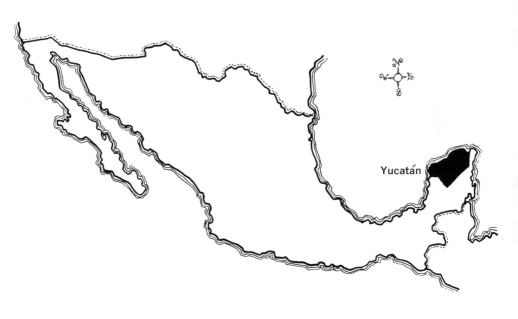

(5) La PENINSULA de YUCATAN forma el extremo sudeste de México. Resalta en el norte entre el Mar Caribe y el Golfo de México. Honduras Británica y una parte de Guatemala ocupan una tercera parte de Yucatán, pero México ocupa el resto. Bosques y selvas tropicales cubren la mayor parte de esta zona. Los indios mayas construyeron ciudades grandes en esta región, hace más de mil años.

extremo, tip
resalta, juts out

45

MUCHAS FACETAS DE MEXICO

llanos, plains costero, coastal

pantanos, swamps

cálido, hot

(6) Los LLANOS COSTEROS están situados entre el Golfo de México y la Sierra Madre Oriental en la parte este, y entre el Océano Pacífico y la Sierra Madre Occidental al oeste. Bosques y pantanos cubren muchos de los llanos cálidos y tropicales a lo largo de la costa del Golfo de México; sin embargo, mucha de esta tierra costera es buena para la agricultura. La mayor parte de los llanos cerca de la costa del Pacífico son desiertos.

46

A. EL CLIMA

El clima de México depende más de la altura que de la situación geográfica. Hay tres zonas templadas en este país:

(1) La TIERRA CALIENTE incluye zonas con alturas entre el nivel del mar y 914 metros (3.000 pies). Los *llanos costeros*, la *Península de Yucatán* y las partes más bajas de *Baja California* están incluidos en esta zona. Las temperaturas oscilan desde 15,5 hasta 37,7 grados centígrados (60 a 100 grados Fahrenheit).La temperatura media es de 21 C. (70 F.) en el mes de enero y de 26,6 C. (80 F.) en julio.

(2) La TIERRA TEMPLADA incluye las zonas entre 914 metros (3.000 pies) y 1.828 metros (6.000 pies) sobre el nivel del mar. La mitad del norte de la *meseta central* y algunas partes de las *tierras altas de Ghiapas* están incluidas en esta zona. La temperatura media es de 12.7 C. (55 F) en el mes de enero hasta 25 C. (77 F.) en julio.

La TIERRA FRIA incluye las regiones sobre 1.828 metros (6.000 pies). La mitad del sur de la *meseta central* y la mayor parte de las Sierras Madres están incluidas en esta zona. Las partes más altas de la tierra fría tienen una temperatura bajo cero centígrado (32F.) durante la mayor parte del año. En la Ciudad de México (en esta zona), la temperatura media varía desde 12,2 C. (54 F.) en el mes de enero hasta 18,3 C. (65 F.) en mayo.

La cantidad de lluvia caída en México varía según las regiones distintas. Las vertientes de las montañas más cercanas a los océanos y los *llanos costeros* reciben más lluvia, algunas veces tanto como 2m. 54cm. (100 pulgadas) por año.

En cambio, la sección del norte de la *meseta central* recibe menos de 50 cm. (20 pulgadas) de lluvia por año.

altura, altitude

templada, temperate

nivel del mar, sea level

oscilan, fluctuate

media, average

lluvia caída, rainfall

vertientes, slopes

47

seca, dry

Una gran parte de México tiene en realidad solamente dos estaciones. La estación "lluviosa" es de mayo hasta octubre, y la estación "seca" dura el resto del año. La falta de lluvia en muchas zonas de México es un obstáculo grande para la agricultura. Aproximadamente el 25 por ciento de la tierra es adecuada para cultivar, pero solamente el 10 por ciento recibe suficiente lluvia. Por lo tanto, casi 2,5 millones de hectáreas (6 millones de acres) están bajo irrigación.

CARTA PLUVIAL DE LA REPUBLICA MEXICANA

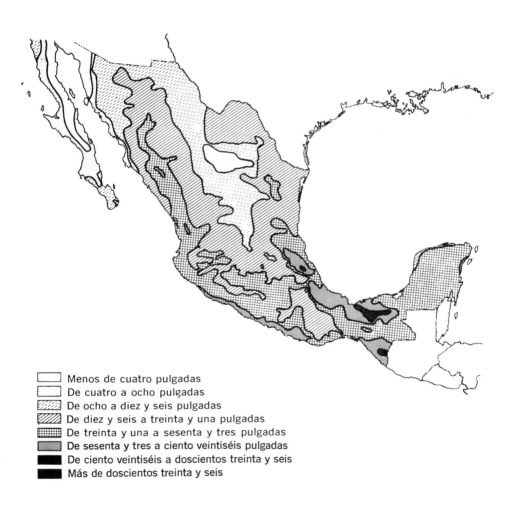

☐ Menos de cuatro pulgadas
☐ De cuatro a ocho pulgadas
▨ De ocho a diez y seis pulgadas
▨ De diez y seis a treinta y una pulgadas
▦ De treinta y una a sesenta y tres pulgadas
▩ De sesenta y tres a ciento veintiséis pulgadas
■ De ciento veintiséis a doscientos treinta y seis
■ Más de doscientos treinta y seis

B. LOS RIOS Y LAGOS

fluyen, flow
demasiado, too much
hondo, deep
suministran, supply

Hay muchos ríos que fluyen por México, pero casi todos o son demasiado rápidos o no son bastante hondos para la navegación. Sin embargo, estos ríos suministran la fuerza hidroeléctrica, y también el agua muy importante para la irrigación de muchas partes del país.

Los ríos principales fluyen hacia el Golfo de México. Uno de ellos es el Río Grande (o como lo llaman los mexicanos, *Río Bravo del Norte*).

cobre, copper

Más de 20 ríos fluyen desde la Sierra Madre Occidental hacia el Océano Pacífico y el Golfo de California. La Barranca del Cobre, un cañón grandísimo en la parte noroeste de México, se formó por el Río Urique fluyendo por las montañas. La mayor parte de este

(se) cree, is believed ancho, wide

cañón está inexplorada, pero se cree que sea más ancho y hondo que el Cañón Grande de Arizona en los Estados Unidos.

El Lago de Chapala es el más grande de los lagos de México, y el Lago Pátzcuaro es uno de los lagos más hermosos de toda la América del Norte. Hay también varios lagos pequeños en las cercanías de la Ciudad de México.

manantiales, springs
saludable, healthful

embotellada, bottled

En algunas zonas hay manantiales de agua mineral caliente. Se cree que estas aguas son muy saludables, y las de los manantiales minerales de Tehuacán (cerca de la Ciudad de México), están embotelladas y se venden en todo el país.

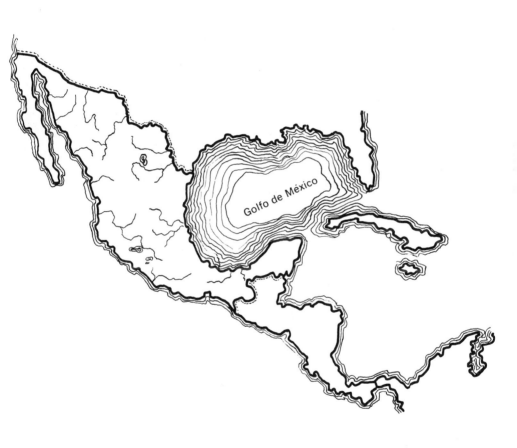

Golfo de México

Los pelícanos abundan en las zonas costeras de México y hay lugares donde son tan mansos que uno puede acariciarles.

Entre las muchas aves de México, está incluido el flamingo.

C. LA VIDA ANIMAL

oso, bear ciervo, deer
jabalí, wild hog
conejo, rabbit ratón, mouse
topo, mole
caimanes, alligators

aves, birds

gansos, geese paloma, dove

La vida animal en las montañas de México incluye osos, ciervos, jabalís, jaguares, y leones de las montañas. Se encuentran conejos, ratones y topos en los desiertos, y opósumes y ocelotes en los bosques de los llanos costeros. Hay caimanes en algunos de los ríos y lagunas.

Entre las más de 300 clases de aves de México, el quetzal es probablemente el más hermoso. El quetzal vive en los bosques del sur y es el ave nacional de Guatemala. Otras aves de México son gansos, palomas, flamingos y pelícanos.

El Puerto de Acapulco, que fue uno de los primeros en recibir mercadería de Oriente y en donde desembarcó la princesa china que originó el famoso traje de la china poblana, tan lleno de colorido.

D. LA VIDA DEL MAR

Los lagos, ríos y aguas costeras de México tienen muchos peces y otra vida de mar. En los lagos se encuentran muchas truchas y lucios.

pez; peces, fish

truchas, trout lucios, pike

La pesca oceánica es *muy* buena en las aguas mexicanas, para los deportistas tanto como para los pescadores comerciales. Hay peces espadas, sardinas, escombros y abulones. Los camarones y ostras (ostiones, como se les llama en México),   también son abundantes en muchas partes.

deportista, sportsman

espada, sword (fish)

escombros, mackerel
abulones, abolones

camarones, shrimp ostras, oysters

53

La gladiola como la poinsetia o flor de Noche Buena son de origen mexicano y su cultivo a más de ser fácil es sumamente productivo, pues los mexicanos aman las flores y se enorgullecen de sus floreados parques.

E. LA VEGETACION

Se dice que México tiene más clases de plantas que cualquier otro país. Hay más de 5.000 clases de flores que florecen en esta tierra. Incluyen camelias, amapolas, orquídeas y nochebuenas. Más de 500 clases de cactos se encuentran en el desierto del norte.

Los bosques cubren casi el 16 por ciento de México. Algunos de los árboles que se encuentran allí son las maderas duras: nogal, fresno, caoba, ébano y palo de rosa.

florecen, bloom
amapola, poppy
nochebuena, poinsetta

madera dura, hardwood
nogal, walnut   caoba, mahogany
ébano, ebony
fresno, ash tree
palo de rosa, rosewood

El pueblecito de Guanajuato es un lugar ensueño. Está situado en la garganta de una montaña y naturalmente es un importante centro minero que sigue produciendo buena plata y oro.

F. LOS MINERALES

Las Sierras Madres tienen los depósitos de plata más grandes de todo el mundo. También se encuentran allí oro, hierro, cobre, zinc, plomo y mercurio. En la región entre el Río Grande y Nueva Rosita hay muchas minas de carbón, y bajo los llanos costeros orientales hay mucho petróleo.

plata, silver

oro, gold plomo, lead

minas de carbón, coal mines

55

Con la influencia del general Lázaro Cárdenas dejándose sentir aun muy fuerte, entró a la presidencia el nuevo representante de ese partido: El General Don Manuel Avila Camacho.

V LA EDUCACION

Hace 1500 años los indios mayas de México correctamente midieron y registraron el tiempo observando las estrellas; también desarrollaron un sistema muy excelente de matemáticas. Por lo tanto, parece mentira que los mexicanos no hayan hecho mucho progreso en la educación pública gratuita hasta el siglo veinte. Esto se debe a muchas cosas distintas.

midieron, measured

parece mentira, seems impossible

En primer lugar los españoles no estaban muy ansiosos de educar a los indios (excepto a los hijos de unos líderes), en las materias de matemáticas, de lectura y de escritura. Creían que si los indios aprendían demasiado, sería más difícil dominarlos. La mayor parte de los frailes que vinieron de España, enseñaron a los indios sólo el cristianismo y varias clases de artesanía. También, en vez de enseñarles el idioma español, algunos frailes aprendieron la lengua de las tribus indias. Sin el beneficio de una sola lengua para unificar a todo el pueblo, la educación progresó lentamente.

lectura, reading escritura, writing

en vez de, instead of

frailes, friars

lentamente, slowly

De los muchos virreyes que representaron la corona española en distritos distintos, dos se destacaron por lo que hicieron para la educación mexicana. Uno de ellos, Antonio de Mendoza, fundó una universidad para los jóvenes indios, y también estableció la primera imprenta del Nuevo Mundo. En 1551, Luis de Velasco, otro virrey, preparó los fundamentos de la que es hoy la Universidad Nacional (la primera institución de enseñanza superior del continente norteamericano, y hoy una de las más hermosas de todo el mundo).

virrey, viceroy corona, crown
(se) destacaron, distinguished themselves

imprenta, printing press

enseñanza superior, higher education

Los españoles no tuvieron *toda* la culpa por lo visto, porque hasta después de la Guerra de la Independencia en los 1820, no hubo ningunos cambios inmediatos en el sistema educativo. Había leyes que declaraban que era obligatorio que la gente asiste a las escuelas,

culpa, blame

guerra, war

asistir a, to attend

57

lucha, struggle

fondos, funds

de vez en cuando,
from time to time

pero eso era imposible porque México apenas tenía escuelas en aquel tiempo.

Benito Juárez, un indio zapoteca que llegó a ser presidente por primera vez en 1858, propuso muchas reformas nuevas inclusive algunas para la educación gratuita. Cerca de 1860, empezó el programa de educación pública gratuita en que el sistema de hoy se basa. Sin embargo, a causa de su lucha constante para crear y mantener un gobierno democrático, no tenía suficiente tiempo ni fondos para su programa educativo.

De vez en cuando, el conflicto entre la iglesia católica y el gobierno también causó muchos problemas. Cuando el gobierno puso restricciones graves en contra de la iglesia para que ésta no llegara a ser demasiado poderosa, la iglesia a su vez se opuso a toda instrucción que no estuviera basada en su propio sistema de educación.

Salón de clase de escuelita rural, en donde abnegados maestros tratan de traer la luz a muchos niñitos de triste futuro.

MUCHAS FACETAS DE MEXICO

A. LA EDUCACION DEL SIGLO VEINTE

Desde 1920 hasta 1940 la iglesia católica y el gobierno mexicano estuvieron en conflicto directo uno con otro, con el programa educacional "de por medio." Después, en 1944, el presidente Manuel Avila Camacho, un católico y también un revolucionario, empezó a hacer su campaña en contra del analfabetismo.

Camacho decretó que *cada mexicano* (de 18 a 60 años) que supiera leer y escribir, tendría la obligación de enseñar por lo menos a *otro mexicano* (6 a 60 años). Puso al alcance libros de texto gratuitos, en español y en las lenguas principales de los indios. Pronto todos enseñaron a todos. Los muchachos enseñaron a los padres, los secretarios enseñaron a los porteros, y las amas de casa enseñaron a las criadas.

Al principio este programa fue establecido para durar sólo un año, pero la campaña ha continuado y el analfabetismo ha bajado desde el 75 por ciento de la gente en 1900 hasta el 30 por ciento hoy—y todavía está bajando.

Durante muchos años los secretarios públicos se encontraban en casi todas las plazas de México. Escribían cartas (cobrando honorarios) para los analfabetos. La realidad es que hoy la mayor parte de lo hecho por los secretarios públicos son los formularios de impuestos o traducciones. Esto demuestra bien el progreso de la educación mexicana.

Según las leyes de México hoy, todos los muchachos desde 6 hasta 15 años, están obligados a asistir a la escuela. Sin embargo, casi la mitad no puede asistir, a causa de la falta de maestros y de escuelas.

Cada año el gobierno aporta más y más dinero para la educación. Financia la construcción de muchas escuelas prefabricadas. Esas *"prefabs"* se transportan en camiones a los pueblos; después la gente, que proporciona la tierra y el trabajo, construye las nuevas escuelas.

de por medio, in the "middle"

empezar, to begin
analfabetismo, illiteracy

puso al alcance, put within reach

ama de casa, housewife
criada, maid

cobrar honorarios, to charge fees

impuestos, taxes
traducciones, translations

camiones, trucks
proporciona, provide

60

Universidad Nacional Autónoma de México es el nombre completo de
este bello conjunto de muy modernos edificios construidos sobre la lava
del volcán del Ajusco y que da al paisaje gran majestad.

MUCHAS FACETAS DE MEXICO

Los mexicanos se enorgullecen de sus escuelas y también del progreso de la educación en los años recientes. Por lo tanto, en muchos pueblitos donde una "prefab" no había sido asignada todavía, la gente financia y construye su propia escuela, aunque algunas veces tarda muchos años en hacerlo.

La educación pública es gratuita en México hoy, inclusive en las escuelas agrícolas, vocacionales y técnicas. Hay también muchas nuevas universidades ahora para instruir a los maestros.

Otra forma posible de instrucción es la misión de cultura que va de pueblo en pueblo. Consiste en una enfermera, un operario de películas, un especialista en recreos y maestros de diferentes materias. Enseñan artesanía, música, carpintería y otras materias útiles.

En algunas zonas el obstáculo del idioma además de la aversión a aprender, hace muy difícil enseñar a los indios. Un método extraño se usa para enseñarlos sin que lo sepan. Unos maestros se dieron cuenta de que los indios en las fiestas observaban y escuchaban los títeres con mucho interés. Por eso, los maestros se decidieron a enseñar a los indios por medio de títeres de mano. Ahora los indios observan durante horas enteras a los títeres que dramatizan materias educacionales en vez de los dramas o comedias. (Y las voces de los títeres suenan muy parecidas a las de los maestros.)

A una muchacha india ciega de Guanajuato, se le dio la vista por medio de una trasplante de córnea en el primer "banco de ojos" de México. Quedó tan agradecida de poder ver, que aprendió a leer y a escribir antes de volver a su propio pueblito. Después empezó una escuela allá para enseñar a otros muchachos indios a leer y a escribir.

tarda, takes time

enfermera, nurse

(se) dieron cuenta, realized

suenan, sound
ciega, blind

agradecida, grateful

VI LA HERENCIA ARTISTICA

Las diferentes formas de artes creadoras hicieron muy poco progreso entre la Conquista española y la Revolución. Los españoles destruyeron sistemáticamente obras de arte, jeroglíficos, edificios y hasta ciudades enteras que mostraban el progreso del hombre primitivo. Hoy todo lo que se sabe del arte antiguo de México es lo que se ha encontrado en las ruinas de templos y de ciudades.

jeroglíficos, hieroglyphics

Los españoles enseñaron a los indios muchas cosas útiles para sus artes, tal como la manera de obtener y usar los metales, el vidrio, el cuero y la lana. Sin embargo, todavía querían todo hecho a la moda de España.

vidrio, glass cuero, leather
lana, wool
a la moda, in style

Los obreros indios poco a poco añadieron unos de sus propios símbolos y diseños a la hechura compleja de la arquitectura española. Poco a poco también hicieron las pinturas y las figuras de Cristo y de la Virgen más obscuras hasta que se parecieron a los ídolos indios que se adoraban antes de la llegada de los españoles a México.

añadieron, add
hechura, form; workmanship
compleja, complex

Una de las primeras culturas de las tierras bajas de Veracruz se llamó *la olmeca*. Gigantescas cabezas esculpidas con labios gruesos y con caras redondas como la luna se han encontrado en las ruinas de ciudades de esa región. Unas huellas de este estilo se encuentran en muchas otras culturas tempranas de México.

esculpido, sculptured labios, lips
grueso, thick
luna, moon
huella, trace
temprana, early

Arqueólogos y escolares han admirado el arte "precolombiano" por muchos años. (En 1839 un arqueólogo y explorador, llamado John L. Stephens, compró las ruinas de *una entera ciudad maya* por 50 dólares.)

63

La mayoria de las ruinas dejadas por los mayas, nos demuestran lo maravilloso de esa cultura y lo extraño de su caso: desaparecieron misteriosamente sin dejar vestigios de su raza.

particular, private

artesanía, arts and crafts

"en boga, "in vogue; style

aprobar, pass (a law)

a pesar de, in spite of

son sacados, are taken out

Los coleccionistas particulares, norteamericanos y europeos, no tenían mucho interés en la artesanía del México antiguo hasta casi la época de la Primera Guerra Mundial. Casi al mismo tiempo los mexicanos empezaron a enorgullecerse más de su propia herencia india. Cuando la colección de los artefactos precolombianos llegó a estar "en boga," los mexicanos tuvieron que aprobar una ley en 1934 prohibiendo su exportación. A pesar de todo, varios artefactos por un valor de casi un millón de dólares son sacados del país cada año (ilegalmente).

El período revolucionario en México, que empezó en 1910, también fue el tiempo de la rebelión en todas las

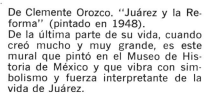

De Clemente Orozco. "Juárez y la Reforma" (pintado en 1948).
De la última parte de su vida, cuando creó mucho y muy grande, es este mural que pintó en el Museo de Historia de México y que vibra con simbolismo y fuerza interpretante de la vida de Juárez.

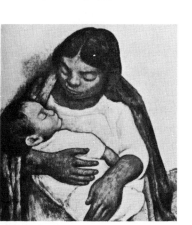

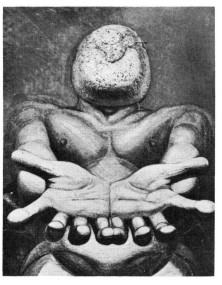

De Diego Rivera. Madre e hijo (pintado en 1935).
Demuestra el fuerte sentimiento lírico de que era capaz en este tipo de pintura, que aunque más modesto que los temas revolucionarios murales, es tan importante como ellos.

De Alfaro Siqueiros. Nuestra imagen presente (pintado en 1947).
En esta etapa de su vida, ha adquirido un sentimiento profundo con respecto a la desolación y para demostrarlo, usa magistralmente sus pinturas sintéticas y la forma rocosa, apelante por su terrible anonimidad.

clases de artistas. Los pintores y escritores jóvenes se incorporaron a varios grupos de revolucionarios. Unos participaron activamente en las batallas y otros ayudaron solamente por medio de periódicos o de carteles, o como consultores. La Revolución influyó en las obras de esos artistas por muchos años después, sin hacer caso de su participación en ella. Francisco Goitia, David Alfaro Siqueiros, José Clemente Orozco, y Diego Rivera fueron algunos de ellos. Muchas de sus obras mostraban la violencia de la guerra como ellos mismos la veían.

Los artistas de México han desarrollado un estilo brillante, valiente y muy "mexicano," que muestra bien la vida y la leyenda de su país.

ayudar, help   periódico, newspaper

cartel, poster

sin hacer caso de, regardless of

obras, works   mostrar, to show

desarrollar, to develop

65

A. LAS OBRAS LITERARIAS

A causa del analfabetismo extenso en México, la literatura se desarrolló más lentamente que las otras artes.

Durante la era colonial, la escritora más célebre fue Sor Juana Inés de la Cruz, una monja extraordinaria. Su poesía lírica llegó a ser famosa porque expresaba un sentimiento muy profundo, y todavía sus obras eran definidamente españolas y reflejaban muy poco del Nuevo Mundo.

La Revolución fue un punto de cambio para los autores mexicanos como lo fue para los artistas. Las obras literarias de México desarrollaron sus propias características y los autores empezaron a expresar las ideas, las creencias y las esperanzas de la gente mexicana.

Hoy, Mariano Azuela es uno de los autores más estimados de México, y su obra más famosa, "Los de abajo," pinta la Revolución de 1910.

La mayor parte de los autores jóvenes de México hoy, como los artistas jóvenes, muestran más preocupación por la vida de *hoy* como la ven. Tratan de ser más "individualistas" en las obras, en vez de tan "nacionalistas."

Es muy difícil que esta generación de pintores, escultores y autores sean tan individualista como le gustaría porque el arte que la precedió se clasificaba tan definidamente como "mexicano."

monja, nun

reflejar, reflect

esperanza, hope

pinta, depict

66

El General Don Porfirio Díaz fue un hombre sumamente valiente y el comienzo de su presidencia se efectuó sin dificultad y no fue sino hasta sus reelecciones, que disgustó a la gente.

Una señorita bonita mira los muchos tipos de artesanía que se pueden ser obtenidos por todo México.

B. ARTESANIA FOLKLORICA

folklórica, folk
medidas, measures

El gobierno de México ha tomado muchas medidas para preservar sus artes e industrias populares, y también para estimular su nuevo desarrollo. Comprende la importancia de ellos en la economía del país.

Hay museos federales de artes populares ahora en muchas partes del país; las agencias federales ofrecen becas de artes muy generosas; el Ministerio de la Tesorería a veces acepta obras de un artista en vez de dinero por los impuestos; y escuelas de arte al aire libre se han establecido tanto para muchachos como para adultos.

beca, scholarship
tesorería, treasury

al aire libre, open air

La Revolución otra vez parece ser causa de una renovación de algunas clases del arte popular—pero la corriente de turistas aumentándose cada año es causa de mucho del desarrollo. Los turistas lo buscan y compran todo, de lo barato a lo caro; así es que se necesitan más productos de arte.

corriente, flow
aumentando, increasing

Los indios de cada pueblito siempre se han especializado en sus propias mercancías, y después las cambian

cambiar, change; trade

68

En el Parque Sullivan en la Ciudad de México, se ha iniciado una exposición de pintura modernista de varios artistas mexicanos y extranjeros y es sumamente grande la atracción que ejerce en todos, ya que las obras pueden ser adquiridas a precios muy módicos.

con otros indios por lo que necesitan. Se creyó a un tiempo que las nuevas carreteras y la mejor comunicación pondrían las artes populares en peligro poniendo todas las mercancías más al alcance de los indios y haciendo sus propias artes menos necesarias. Sin embargo, estas mejoras han hecho todo lo contrario. Los mejores métodos de viaje y de comunicación han abierto muchas áreas nuevas como salidas para los productos indios.

salidas, outlets

El peligro más serio para el arte popular es el empleo industrial. Cuando los indios dependían enteramente de sus granjas para la vida, había cada año unos meses de poca labranza. Dedicaban este tiempo a su artesanía. Hoy, como muchos van a trabajar en las fábricas y otros trabajos urbanos, tienen menos y menos tiempo libre para la artesanía.

peligro, danger

En cambio, los que continúan trabajando en la artesanía *todo* el tiempo, se especializan más que nunca. Los resultados: artistas mejores — productos mejores.

Este modernísimo teatro situado en la Avenida Insurgentes de México. pertenece al famoso cómico Cantinflas y en él se han presentado simpatiquísimas obras como "La casa de té de la luna de agosto."

C. LOS CINEMAS Y TEATROS

El drama y la comedia aparecen en muchas formas y en muchos lugares de México. En algunos pueblos los dramas se ejecutan en las calles estrechas y las *callejuelas.* Los residentes sirven de actores y productores, y los exteriores de sus casas forman el escenario. Los espectadores se sientan sobre *tablones* que obstruyen el tráfico a ambos extremos de la calle en donde se presenta el drama.

También hay dramas "*portátiles*" (presentados en tiendas), que proporcionan a la gente muchos espectáculos *ambulantes.*

Hay, naturalmente, teatros más grandes, tal como el Nacional en la Ciudad de México, que presentan dramas más variados.

México se *adelanta* sobre todos los otros países de la América Latina en la producción del cine, haciendo unas 65 películas al año. Cantinflas (Mario Moreno), un comediante, es el actor más famoso de todo el país, pero muchas otras estrellas talentosas aparecen en las películas y sobre los escenarios.

callejuela, alley

tablones, planks

portátiles, portable

ambulantes, wandering

adelanta, surpass

70

Mario Moreno, más conocido como Cantinflas, es un notable cómico mexicano cuya fama llegó ya a Europa. Su filantropía es bien conocida de las clases pobres de México entero.

D. LA MUSICA

La música popular de México varía mucho de una región en otra. Por ejemplo: en Tehuantepec, es lenta y rítmica; en Chiapas, alegre; y en Oaxaca, triste. Como en todos los países, la música popular refleja la vida de la gente. Estos "corridos," como se llaman las canciones, a veces cuentan de incidentes puramente locales, tales como una pelea en la taberna local o la detención de un peón. Otras veces cuentan de una batalla famosa u otra parte de la lucha por la independencia.

Los "mariachis" (grupos de músicos cantantes), divierten a la gente en las bodas, en cabaretes, bailes, fiestas, casas, y, en efecto, en todas partes.

Los bailes populares también varían mucho. Hay la *sandunga* majestuosa del Istmo de Tehuantepec; el *huapango* ruidoso de Veracruz; la *jarana* enérgica de Yucatán; y el famoso *jarabe tapatío* (el baile del "sombrero mexicano," un baile llamativo que ha llegado a ser el baile nacional de México).

La mayor parte de las fiestas, las ceremonias religiosas, y los rituales indios incluyen música, baile y pompa. Los indios se disfrazan con todo: unos de ellos vestidos de sacerdotes o de soldados; unos con plumas, papeles colorados y flores; y otros hasta se ponen cascos de piel de mono. Los bailes ejecutados en tales ceremonias son generalmente interpretaciones derivadas de algún hecho histórico o local.

triste, sad; melancholy

popular, "folk"

pelea, fight

detención, arrest

divierten, entertain

ruidoso, noisy

disfrazan, disguise

vestidos, costumed; dressed

plumas, feathers

cascos, helmets   piel, fur

mono, monkey

hecho, event

derivada, derived

72

Estos son los famosos mariachis mexicanos que llevan su alegre música por todas partes y en especial a las señoritas, dándoles serenatas a las doce de la noche y haciendo la vida de los vecinos insufrible.

En todo México se encuentran ejemplos de todas clases de arte. Murales y azulejos decoran los exteriores de muchos edificios (hasta las estaciones de servicio y las tiendas más modestas); hay estatuas, jarrones y floreros en todos los portales, en las repisas de las ventanas, y en los patios; en las esquinas de las calles se ven músicos, cantando para divertirse y divertir a los que los escuchan.

En realidad, México es un país que inspira a *todos* a mostrar tantas aptitudes como tengan, con palabras, diseños, pinturas, esculturas, dramas o música.

azulejos, glazed tile

jarrones, large flower vase

floreros, flower pots
portales, porches; patios
repisas, sill

73

¡Cuán electrizante es este baile de los voladores y cuánta sangre fría ha de necesitarse para echarse al vacío!; sabiendo que la vida depende de una reata que posiblemente no es muy fuerte.

E. LOS VOLADORES

Los indios de los pueblitos remotos de México todavía ejecutan muchos de los ritos de sus antepasados. Uno de los más fascinantes es el baile de los voladores.

Los voladores bailan sobre una plataforma pequeña encima de un poste de 21,28 metros (70 pies) de altura. Después "vuelan" a la tierra usando reatas largas que se desenrollan del poste mientras descienden.

El número de los ejecutores del baile varía en pueblitos distintos—a veces 4 y otras veces 6.

Generalmente por lo menos 100 indios se necesitan para arrastrar un árbol bastante alto desde la ladera donde creció hasta el pueblito. Es un trabajo enorme arrastrarlo a lo largo de senderos estrechos, a través de barrancos, y por curvas abruptas (especialmente sin usar ninguna clase de maquinaria ni vehículo).

Al llegar al centro del pueblito, algunos indios preparan el poste mientras otros excavan un hoyo estrecho y hondo. En este hoyo ponen comidas, cigarrillos, velas y hasta un guajolote vivo. Creen que estas "ofrendas" nutren el palo y lo hacen bastante fuerte para sostener a los voladores.

Los ayudantes que preparan el poste, lo enrollan con vides para facilitar la subida a la cima más tarde. Después inclinan el palo, y lo levantan con cordeles y palancas hasta que tenga bastante altura para ser plantado en el hoyo encima de las ofrendas.

Cuando el poste está seguro, dos o tres indios lo suben. Llevan cordeles largos (uno para cada uno de los voladores), y también un trozo hueco cortado de otro árbol, que se pone sobre la cima del poste. Este trozo, en realidad, es la plataforma (o "escenario") sobre el cual los voladores bailarán; su interior es lubricado con jabón hecho en casa, a fin que pueda girar libremente.

Ahora los ayudantes enrollan cuidadosamente los

ejecutan, perform

voladores, flyers

reatas, ropes

arrastrar, drag

senderos, paths

barrancos, ravines

guajolote, turkey

subida, climb

palancas, levers

trozo hueco, hollow piece

cima, top

girar, revolve

armazón, frame

por encima de, over

colgar, to hang

(se) pone frente, "face"

empujándose, pushing himself

sonajillos de calabazas, gourd rattles

(se) atan, tie

cintura, waist grito agudo, shrill cry

cabeza abajo, upside down

espantoso, frightful

desenrollan, unwind

enderezan, straighten up

aterrizan, land

cordeles alrededor del poste, desde la plataforma hasta la tierra. Después una armazón (de 4 o 6 lados) se cuelga debajo de la plataforma y los extremos de las reatas se pasan por encima de los bordes de la armazón de donde colgarán en el aire.

Ahora el escenario está preparado.

Uno por uno los voladores se suben al poste. Al llegar a la armazón cada uno se sienta sobre ella (se pone frente al palo), y se asegura empujándose contra él con los pies.

Cada uno de ellos lleva sonajillos de calabazas, excepto uno que lleva un tamboril y una flauta de caña. Uno por uno se suben a la pequeña plataforma, que tiene solamente 60,96 centímetros (24 pulgadas) de diámetro, y bailan al ritmo de la música de todos. El único volador que no baila es el tamborilero.

Cuando terminan de bailar y cada uno está en su sitio en la armazón, se atan los cordeles alrededor de la cintura. Después, con un grito agudo, saltan al espacio.

Al principio del descenso, se agarran de las reatas con los pies para ponerse cabeza abajo. Por un momento espantoso quedan colgados allí, después empiezan a descender. Cuando aumenta el ímpetu, las reatas se desenrollan lentamente del poste en círculos cada vez más grandes. En realidad, los voladores parecen "volar."

La velocidad de los voladores aumenta—la música continúa y acelera hasta llegar a un ritmo más salvaje. Cuando sus caras casi tocan el suelo, se enderezan y aterrizan graciosamente en los pies.

Tan pronto como los voladores están fuera de peligro, la gente en la plaza da vivas fuertes, después se empuja hacia adelante para mostrar su orgullo y su admiración hacia los indios valientes.

VII LA CIUDAD DE MEXICO

Según la leyenda, un dios de los indios aztecas les dijo que buscaran hasta encontrar "una águila posada sobre un cacto, devorando una serpiente." En ese lugar debían establecerse. Por último, en 1325, se dice que encontraron el águila, exactamente como se había predicho, y empezaron a construir su ciudad maravillosa de Tenochtitlán. Estaba situada sobre una isla del Lago Texcoco. (Hoy, una águila posada sobre un cacto devorando una serpiente es el emblema nacional de México.)

Los aztecas construyeron su ciudad con los cedros y los robles de las laderas cercanas, y también con piedras talladas y ladrillos de adobe. Cuando los españoles invadieron el país siglos después, se asombraron de la belleza de los proyectos arquitectónicos, de las esculturas de piedra, de los mosaicos, de las cerámicas y de las molduras de metales preciosos (todo hecho sin ninguna clase de instrumentos de metal).

Canales serpenteaban por la ciudad que era como una isla conectada con el continente por medio de caminos elevados. Muchas de las avenidas de hoy siguen aquellos caminos. Grandes templos y pirámides rodeaban las plazas; toda la ciudad se mantenía perfectamente limpia y las flores eran abundantes en todas partes.

Durante la Conquista española, Cortés capturó la ciudad de Tenochtitlán dos o tres veces pero fue rechazado por los aztecas. Sin embargo, los españoles conquistaron finalmente casi todas las tribus indias inclusive los aztecas; ellos ocuparon casi todo lo que hoy es México. Destruyeron la capital azteca que había llegado a cubrir varias islas de Texcoco. Después empezaron a construir su propia ciudad sobre las

buscar, look for águila, eagle
posada, perched

predicho, predicted

robles, oaks
tallada, carved ladrillos, bricks
(se) asombraron, astounded
belleza, beauty

molduras, molding

serpenteaban, wound

mantenía, maintained
limpia, clean

rechazado, repelled; drove out

77

Músico indígena de la zona de las pirámides de Teotihuacán tocando uno de los más primitivos instrumentos prehispánicos hecho de barro y en honor a la representación de una leyenda llamada de los cinco soles.

De aquí podemos admirar la majestuosidad de las Pirámides del Sol y de la Luna, así como los edificios a los lados, entre ellos famoso templo a un dios blanco de nombre Quetzalcoatl (serpiente emplumada).

ruinas de Tenochtitlán, usando con frecuencia adobe, piedras y otros materiales tomados de las ruinas. La ciudad nueva se construyó completamente al estilo español. Así lo que antes se llamaba "Tenochtitlán," hoy se llama la Ciudad de México—o México, D.F. (Distrito Federal).

Como la nueva ciudad empezó gradualmente a ocupar la misma área que la antigua, los canales se llenaron hasta que el lago desapareció completamente.

puesto que, since

Puesto que mucho de México, D.F., está construido

78

stos músicos se encuentran ante uno
e los muchos edificios adyacentes a las
irámides del Sol y la Luna en Teotihua-
án y que es conocido como la Ciudadela.

He aquí otra perspectiva de la Ciudadela, en la
que a menudo se celebran bailes rituales como
los que representaban los antiguos aztecas.

sobre el lecho de un lago, hubo muchos problemas de
construcción sobre el suelo blando de ciertas áreas.
Se dice que el enorme Palacio de las Bellas Artes
en la Avenida Juárez, ha bajado más de 3 metros (10
pies) en la tierra desde su terminación en 1934. Muchos
de los edificios se construyen hoy sobre "cimientos
flotantes" que se parecen a platillos y pueden resistir
mejor los daños de terremotos y los hundimientos de
tierra.

lecho, bed (river, lake)

Bellas Artes, fine arts

platillos, saucers

terremotos, earthquakes

hundimientos, cave-ins

MUCHAS FACETAS DE MEXICO

A. LO ANTIGUO Y LO MODERNO

La manera en la cual México, D.F., combina lo antiguo y lo moderno es hermosa y rara. Una persona puede salir de un hotel moderno y lujoso y después de dar un paseo de cinco minutos llegar a un barrio de la ciudad donde los edificios tienen cientos de años.

Hay almacenes que igualan a los de Nueva York, de Londres o de París; sin embargo, dentro de unas pocas cuadras hay puestos a lo largo de las aceras llenos de mercadería traída a la ciudad por los indios (la mayoría de los cuales caminan hasta 60 o 70 kilómetros (37 o 43 millas) llevando sus productos en la espalda o en burro).

Hay también un grandísimo Centro Médico, con hospitales, laboratorios, centros de investigación y auditorios enormes donde los hombres de medicina discuten el progreso de la ciencia médica. Sin embargo, no muy lejos, puede encontrarse una "curandera," que diagnostica la enfermedad frotando al enfermo con un huevo, que rompe después en un plato para estudiar la yema.

En la Avenida Madero está la Torre Latinoamericana, un edificio de 44 pisos que es el más alto de toda la América Latina. Cuando los excavadores hicieron el hoyo para los cimientos de este edificio gigantesco, descubrieron polen petrificado de maíz silvestre que tenía 80.000 años.

Cerca del mercado, mujeres indias están sentadas tranquilamente sobre las aceras con sus faldas extendidas, conversando con sus vecinos. También vigilan las comidas que están hirviendo a fuego lento en una olla de barro, sobre un pequeño brasero.

A lo largo de la calle se ve un indio arrastrando un cerdo que chilla. Otro guía un rebaño de cabras o guajolotes a lo largo de la acequia, a unas pulgadas

---

lujoso, luxurious

barrio, district

almacenes, department stores

cuadras, blocks
traída, brought

en la espalda, on the back

"curandera," quack doctor
frotando, rubbing
huevo, egg rompe, breaks
yema, yolk

pisos, stories; floors

silvestre, wild

hirviendo a fuego lento, simmering
barro, earthenware
brasero, brazier
chilla, squeals rebaño, flock
acequia, gutter

80

Palacio de las Bellas Artes, en donde se encuentra un famoso telón hecho de cristales pequeñitos que representa todo el valle de México con sus dos famosos volcanes. Este edificio está construido de mármoles de todo el mundo y especialmente de Tecalli, Puebla y Carrara, Italia.

de las ruedas de automóviles de último modelo.

México, D.F., es el centro educativo, cultural, manufacturero, mercantil y transportador del país. Sin embargo, en ciertas partes "del centro," los pollos viven sobre los tejados y los gallos se oyen cantar temprano cada mañana.

"del centro", downtown
pollos, chickens
gallos, roosters cantar, crow

Hay un buen ejemplo del sentimiento mexicano para su ciudad capital. En todo el país—desde Texas hasta Guatemala—se encuentran letereros pequeños al lado de los caminos; tienen numeros, y *nada más.* Estos letreros dan la distancia en kilómetros a México, D.F. Al mexicano le gusta saber siempre qué distancia hay hasta el corazón de su país.

letreros, signs

corazón, heart

81

Este es el nuevo lago en el Parque Chapultepec en la Ciudad de México. Los domingos se llena el Parque con mucha gente que viene para divertirse.

B. ALGO DE LA CIUDAD

El Zócalo, una gran plaza central (el nombre oficial de la cual es Plaza de la Constitución), es el corazón de México, D.F., tal como lo fue de la capital azteca de Tenochtitlán. Fue el escenario de los acontecimientos históricos, y el centro de la vida mexicana, desde el principio de la ciudad.

acontecimientos, events

El Palacio de Moctezuma (el monarca azteca) estaba situado allí; también el Teocalli (templo grande) y el foro azteca.

Hoy la *Catedral Nacional* está situada al lado norte del Zócalo. Es una de las catedrales más grandes y magníficas del Hemisferio Occidental, y es la iglesia cristiana más antigua de la América del Norte. Su primera piedra fue puesta en 1573 y la Catedral fue terminada en 1667.

El *Palacio Nacional,* construido desde 1692 hasta 1698, cubre la cuadra entera al lado este del Zócalo. La oficina del Presidente de México está en este edificio.

El *Palacio Municipal* está al lado sur del Zócalo y aloja las oficinas del Distrito Federal.

El *Monte de Piedad,* un montepío nacional, está al lado oeste del Zócalo. Fue fundado en 1775 para que los pobres pudieran obtener préstamos personales a un interés muy bajo.

montepío, pawn shop

préstamos, loans

Muchas de las calles y avenidas más importantes de México, D.F., parten del Zócalo. La biblioteca nacional, el correo central y los teatros principales están cerca de la Plaza. También, el distrito principal de compras y comercio está situado a aproximadamente una milla al sudoeste.

biblioteca, library

correo, post office

A los mexicanos les gusta llamar las calles por el mismo nombre de los héroes representados en las estatuas a lo largo del camino. Por lo tanto, a veces el

83

Esta famosa arteria de México conocida como el Paseo de la Reforma, tiene estatuas de muchos famosos personajes como el que se puede apreciar en el centro de ella y que es nada menos que la estatua de Cristóbal Colón.

tuerce, twists

(se) ensancha, widen

nombre de una calle o avenida cambia hasta cuatro o cinco veces en el mismo número de millas.

Una de las avenidas principales, la Avenida de Francisco I. Madero, tuerce al oeste del Zócalo, después se ensancha para ser la Avenida Juárez cuando pasa por el Parque Alameda y por el Palacio de las Bellas Artes. Cerca de un monumento a la Revolución mexicana, la calle se une con el bulevar principal, el Paseo de la Reforma.

La iglesia cristiana más antigua de América se encuentra en el Distrito Federal y durante celebraciones especiales es iluminada junto con los demás edificios que se encuentran en el Zócalo. Es altamente impresionante el sonido de sus campanas a todo vuelo.

El Paseo de la Reforma es uno de los bulevares más hermosos de todo el mundo. Tiene 61 metros (200 pies) de ancho, y está sombreado por una doble fila de árboles. El Paseo sigue casi tres millas hasta el *Parque Chapultepec*—un parque de 526 hectáreas (1.300 acres) con sendas para caballos, paseos sombrosos y áreas para romerías, que una vez fueron el campo favorito de los duelistas.

La *Universidad Nacional* es en verdad una de las

sombreado, shaded

sendas para caballos, bridle paths

romerías, picnics

85

Los jardines flotantes de Xochimilco en realidad dejaron de serlo hace mucho tiempo, aun antes de la llegada de los españoles a América, sólo que el viento cuando mueve las delicadas flores, le da a uno la sensación de que realmente se "mueven."

vistas espectaculares de la ciudad, con sus edificios modernos de murales de mosaicos hechos por famosos artistas mexicanos.

mármol, marble

aloja, houses

El *Palacio de Bellas Artes* es un grandísimo edificio ornado, hecho de mármol blanco. Está situado al este del Parque Alameda, y aloja galerías de arte, un museo de artes populares, auditorios, salones de baile

paredes, walls

y el Teatro Nacional. En las paredes hay pinturas hechas por Diego Rivera, por Orozco y por otros artistas mexicanos. Todavía, una de las atraciones más

telón, theater curtain

mandado hacer, made to order

famosas del Palacio es el telón vistoso de mosaicos de vidrio que fue mandado hacer a Tiffany de Nueva York (a un precio de $47.000).

jardines flotantes, floating
gardens

Los famosos "jardines flotantes" del *Lago Xochimilco*, en realidad, fueron empezados por los indios aztecas hace siglos. Cuando el valle se cubrió casi completamente de agua, los aztecas necesitaron más

amontonaron, piled fango, mud

tierra para el cultivo. Amontonaron fango blando sobre

Según la leyenda azteca, el Popocatépetl fue un gran guerrero azteca que quería tiernamente a una princesa india, la cual murió. El amante la cargó hasta la cima de las montañas para cuidar de su cuerpo para siempre. De allí que vemos a una mujer blanca que es conocida como Ixtaccíhuatl.

ramas enlazadas, y plantaron semillas de flores y de legumbres. Después ataron estas "balsas" juntas, y las flotaron cerca de su ciudad isla. Estos jardines flotantes crecieron gradualmente en tamaño y llegaron a anclarse en el lecho del lago.

Hoy los turistas a centenares se congregan en el Lago Xochimilco para ir en góndolas a lo largo de los canales rodeados de macizos de lirios, de guisantes de olor, de claveles y de muchas otras flores hermosas.

Una cosa de México, D.F., no cambia. Los dos volcanes, Popocatépetl e Ixtaccíhuatl, cada uno de los cuales tiene más de 5.185 metros (17.000 pies) de altura, vigilan la pintoresca ciudad moderna de México, D.F., tal como vigilaban la pintoresca ciudad antigua de Tenochtitlán.

ramas enlazadas, enlaced twigs

ataron, tied "balsas," rafts

anclado, anchored

macizos, flower beds lirios, lilies
guisantes de olor, sweetpeas
claveles, carnations

87

Retrato de Hernán Cortés que se encuentra en el Museo de Historia de la Ciudad de México. La narración de su vida y de la conquista de México son temas que pertenecen al presente de siempre.

VIII PASADO - PRESENTE - FUTURO

Poco se conoce de la historia de los indios mexicanos que vivieron antes de la época de Cristo. Sin embargo, por los descubrimientos arqueológicos, se ha aprendido mucho sobre su cultura, sus símbolos religiosos, sus edificios y también sobre los materiales distintos que usaron.

En cambio, hay registros escritos de la mayor parte de la historia del período colonial, después que Cortés y los otros españoles conquistaron a México. Se sabe que la Corona española designaba virreyes para gobernar la colonia de la "Nueva España," y también sacerdotes católicos para convertir a los indios al cristianismo.

registros, records

designaba, appointed

Fue durante el período colonial que la "distinción de clase" llegó a ser un verdadero problema entre la gente de México. Los *gachupines* (nacidos en España), ocupaban los puestos de gobierno más altos y los principales cargos de la iglesia; los *criollos* de origen español (nacidos en México), tenían sólo los cargos más bajos; los *mestizos* (de origen español y mexicano), eran clasificados como inferiores a los gachupines y a los criollos; y los indios (de la clase económica más baja) solo hacían trabajos pesados.

nacido, born
puestos, posts
cargos, offices

Hubo muchos conflictos entre los virreyes y la "Audiencia" (un grupo designado para aconsejar a los virreyes). También hubo muchos conflictos entre las "diferentes clases" de gente. A causa de esos conflictos, las tensiones crecieron hasta el punto de explosión, y la "era de la revolución" que empezó en 1810, duró más de un siglo.

aconsejar, advise

El 16 de septiembre de 1810, la primera rebelión contra España fue dirigida por un sacerdote criollo llamado Hidalgo. El fue capturado y ejecutado en 1811. Después, otro sacerdote llamado Morelos se ocupó de la lucha hasta su propia ejecución en 1815.

dirigida, led; directed
contra, against

(se) ocupó de, carried on

89

muerte, death

sofocado, put down; crushed

ejército, army

derribar, subdue rebeldes, rebel

combatirlas, fight them

dominio, rule

por último, at last

(se) rebelaron, revolted

A veces, después de la muerte de Morelos, pareció que los españoles habían sofocado completamente la rebelión.

En diciembre de 1820, sin embargo, un mexicano llamado Iturbide, oficial del ejército español, dirigió una expedición para derribar las fuerzas rebeldes que quedaban. Pero, en vez de combatirlas, Iturbide se hizo su líder. Bajo la dirección de Iturbide, los rebeldes libertaron fácilmente a todo México del dominio español.

Aunque México por último obtuvo su independencia, las revoluciones no terminaron. Muchos grupos distintos se rebelaron constantemente. Querían que México llegara a ser una república, que la tierra se devolviera a los propietarios originales, que la educación pública fuera gratuita, y que se redujera la influencia de la iglesia católica romana en los asuntos económicos y políticos.

A. EL GOBIERNO

Cuando México llegó a ser una república en 1824, sólo una pequeña parte de sus problemas había sido solucionada. Varios presidentes llegaron con frecuencia a ser demasiado poderosos, aunque hicieron mucho para mejorar el país. Los conflictos entre "los liberales" y "los conservadores" se terminaron con tantas batallas, que México, en realidad, casi se declaró en quiebra.

solucionada, solved

poderoso, powerful

en quiebra, bankrupt

Puesto que México debía mucho dinero a Francia, y no estaba bastante unificado para defenderse, los franceses invadieron y ocuparon el país en 1863. Nombraron a Maximiliano, un príncipe austríaco, emperador de México. Después de tres años, Maximiliano fue ejecutado, y Juárez (quien estaba de presidente cuando los franceses invadieron el país), volvió al poder una vez más. Juárez fue presidente hasta su muerte en 1872.

debía, owed

una vez más, once again

Porfirio Díaz, un general del ejército, se rebeló en contra del gobierno, y se hizo presidente en 1876. Fue electo y gobernó como un dictador hasta 1911.

En los primeros veinte años del gobierno de Díaz, se hizo mucho para desarrollar la agricultura, la minería, las comunicaciones, los transportes, la industria, el comercio, las obras públicas y las instituciones bancarias. El estimuló también las inversiones extranjeras que hicieron mucho para mejorar la economía mexicana y explotar sus recursos.

bancarias, banking
inversiones, investments
extranjeras, foreign
explotar, to exploit
recursos, resources

En cambio, los indios fueron tratados peor que nunca durante el régimen de Díaz. Se les robó más tierra, y algunos hasta fueron vendidos como esclavos a propietarios de haciendas.

tratado, treated
peor que nunca, worse than ever
régimen, regime
vendidos, sold

Díaz recibió el mayor apoyo de la misma clase de gente que había gobernado México durante siglos—la

apoyo, support; backing

91

Este notable ejemplo de honorabilidad, dejó entre otras cosas una frase muy famosa. "El respeto al derecho ajeno es la paz." Benito Juárez tuvo una vida de privación y miseria, las cuales le fortificaron su gran espíritu.

clase "alta." Díaz también fue sumamente duro con todos los que dudaron de sus métodos o se opusieron a él.

(se) opusieron, opposed

Después, en 1910, un hacendado rico llamado Madero dirigió una revolución. Quiso más libertad política para los mexicanos. En 1911, las fuerzas de Madero dominaron la mayor parte del país, e hicieron a Díaz renunciar y salir de México.

siguientes, following

La historia de los siguientes veinte años es la de

92

Don Francisco I. Madero publicó un libro llamado "La sucesión presidencial" en el que hablaba de sufragio efectivo, no reelección. Creía en el espiritismo y era sumamente bondadoso.

rebeliones sangrientas, asesinatos y contrarrebeliones. Sin embargo, el gobierno empezó programas para redistribuir la tierra, para mejorar la salud pública y para combatir el analfabetismo; también adoptó una nueva constitución más liberal que estableció un salario mínimo, una jornada de ocho horas y muchas otras reformas.

En 1930, la mayor parte de los mexicanos empezaron a dirigir sus energías hacia una sola meta en vez de

sangrientas, bloody

jornada, workday

meta, goal

93

La ambición de varios mexicanos traidores les llevó a proponer a Maximiliano una corona que no existía y que atrajo la desmedida ambición de su esposa Carlota, que sólo veía en ello poder sin peligros.

equipo, team

gachupines, españoles

continuar unos contra otros como habían hecho durante siglos. En este punto fue cuando en realidad empezaron a trabajar como un "equipo," y su desarrollo económico y social comenzó a hacer grandes progresos.

Hoy, México es conocido como uno de los países más progresistas del mundo. Esto es aun más admirable si uno recuerda que se perdieron cientos de años hasta que los gachupines, los criollos, los mestizos y los indios llegaron a ser "mexicanos."

PREGUNTAS

MUCHAS FACETAS DE MEXICO

CHAPTER I — (1) ¿Qué lengua se habla en la mayor parte de México? (2) ¿Qué país está situado al norte de México? (3) Nombre tres cosas que hay en el México moderno. (4) ¿Cuánto de la frontera al norte está formado por El Río Grande? (5) ¿Qué es la Sierra Madre? (6) Nombre tres extensiones de agua que limitan a México.

CHAPTER II — (1) Aproximadamente ¿cuántas tribus indias hablan sus propios dialectos y lenguas? (2) ¿Cuáles son las dos razas de los antepasados del mexicano moderno? (3) Nombre tres características del mexicano. (4) ¿Qué porcentaje de la gente vive en las ciudades más grandes? (5) ¿Residen en sus granjas los agricultores? Si no, ¿dónde viven? (6) ¿Qué hay en el centro de los pueblos mexicanos? (7) ¿Trabajan algunas veces las mujeres fuera de su casa?

LA ROPA: (1) ¿Qué esperan los turistas ver a los mexicanos llevar todos los días? (2) ¿Cuál es el vestido típico de los hombres para los días de fiesta? ¿De las mujeres? (3) Nombre tres artículos del vestido de los hombres. Del vestido de las mujeres. (4) ¿Quién fue la China Poblana? ¿Cómo llegó ella México? (5) ¿Cómo se viste la mayor parte de la gente en las ciudades? (6) ¿Qué artículo de ropa es el más usado por la gente de México?

LAS COMIDAS: (1) ¿Alrededor de qué producto fue construida la civilización de México? (2) ¿Cuántas clases de maíz han sido desarrolladas? (3) ¿Qué crearon los indios mayas antiguos con su propio uso de astronomía? (4) ¿Cuál es la comida principal de México? (5) ¿Cómo se hace la harina de maíz? (6) ¿Cuál es el plato favorito de harina de maíz? (7) Nombre tres otras clases de comida de los mexicanos. (8) ¿Cuál es el plato favorito de los días de fiesta?

LAS RECREACIONES Y LOS DEPORTES: (1) ¿Cuál es el pasatiempo principal de los mexicanos? (2) Nombre tres otras recreaciones. (3) Nombre tres cosas que se venden en los puestos durante las fiestas. (4) ¿Qué dramatizan los bailarines en las fiestas? (5) Nombre tres deportes populares. (6) ¿Qué equipo de Monterrey llegó a ser famoso? (7) Nombre una competencia muy peligrosa de los rodeos.

LAS CASAS: (1) ¿Cómo son la mayor parte de las casas viejas de las ciudades mexicanas hoy? (2) ¿Cómo están construidas las casas para asegurar la vida privada? (3) ¿De qué dependen mucho los tipos de casas? (4) ¿Qué clase de tejado se encuentra sobre una casa en lugares donde llueve mucho? (5) ¿De qué construye sus casas la gente de la meseta central? (6) ¿En qué forma está construida la mayor parte de las casas de Yucatán? (7) ¿Qué se encuentra en las casas de la gente rica? ¿De la gente pobre?

LA RELIGION: (1) ¿Qué autoriza la ley mexicana sobre la libertad de religión? (2) ¿Qué porcentaje de la gente es católica romana? (3) ¿Dónde fue construida la primera catedral de México? ¿Hace cuántos años? (4) ¿Desde cuántas millas se oye el sonido de sus campanas? (5) ¿Quién es la santa patrona de México? (6) ¿Ante de quién apareció ella? ¿Qué le pidió hacer? (7) Nombre tres días de fiesta de México.

CHAPTER III
EL TRABAJO DE LA GENTE: (1) ¿Cuál es la industria principal de México? (2) Nombre tres otras ocupaciones en ese país. (3) ¿Cómo plantan su maíz unos indios? (4) ¿Qué cosas nuevas trajeron a México los hombres blancos? ¿Cómo ayudaron esas cosas? (5) ¿Qué más hicieron esas cosas, que no fue bueno para la tierra? (6) ¿Le gustó a los indios cuando los españoles cortaron muchos árboles de las laderas? ¿Por qué? (7) ¿De quién obtuvieron los españoles la tierra para sus haciendas? (8) Nombre tres maneras en que los mexicanos están haciendo su tierra más productiva hoy.
OTRAS INDUSTRIAS: (1) Nombre tres clases de minas que se encuentran en México. (2) Nombre tres productos principales de México. (3) ¿De dónde viene la mayor parte de los instrumentos musicales? ¿El vidrio soplado? ¿Los productos de plata? (4) ¿Cómo se reconocen los sarapes de regiones distintas? (5) Nombre dos lugares raros donde a veces se ve a un indio tejer una canasta o un sombrero. (6) ¿Por qué es famosa La Paz? (7) Nombre tres productos fabricados en las fábricas de México. (8) ¿Qué es raro de los pescadores del Lago Pátzcuaro?

CHAPTER IV
LA TIERRA Y SUS RECURSOS: (1) ¿En cuántas regiones principales se divide México? Nombre tres de ellas. (2) ¿Cuáles son penínsulas? (3) Nombre la principal cadena de montañas de México. (4) ¿Viven más personas en la parte norte o sur de la meseta central?
EL CLIMA: (1) ¿De qué depende el clima de México? (2) ¿Cuántas zonas templadas hay en México? Nómbrelas. (3) ¿En qué zona están las dos penínsulas grandes? (4) ¿En qué zona está la Ciudad de México? (5) ¿Qué áreas reciben la más lluvia? ¿La menos? (6) ¿En qué tiempo del año es la estación "lluviosa"? (7) Aproximadamente, ¿cuántas hectáreas están bajo irrigación?
LOS RIOS Y LAGOS: (1) Nombre dos razones porque la navegación no está buena en la mayor parte de los ríos de México. (2) Nombre dos cosas para que los ríos suministran el agua. (3) ¿Cómo llaman los mexicanos el Río Grande? (4) Nombre el cañón grandísimo en la parte noroeste de México.

MUCHAS FACETAS DE MEXICO

(5) ¿Cuál es el lago más grande de México? (6) ¿Qué se hace con el agua de los manantiales minerales de Tehuacán?

LA VIDA ANIMAL: (1) Nombre tres animales que se encuentran en las montañas de México. (2) Nombre tres animales que se encuentran en el desierto. (3) ¿Hay caimanes en México? ¿Dónde? (4) ¿Qué es el quetzal? ¿Dónde se encuentra?

LA VIDA DEL MAR: (1) Nombre dos clases de peces que se encuentran en los lagos. (2) Nombre dos clases de peces de la pesca oceánica en las aguas mexicanas.

VEGETACION: (1) ¿Cuántas clases de flores florecen en México? (2) ¿Cuántas clases de cactos hay?

MINERALES: (1) ¿Dónde están los dos depósitos principales de plata en México? (2) Nombre tres otros metales que se encuentran allí. (3) ¿En qué región está la mayor parte de las minas de carbón? (4) ¿Dónde hay mucho petróleo?

CHAPTER V

LA EDUCACION: (1) Nombre los indios que midieron y registraron el tiempo observando los estrellas. (2) ¿En qué siglo empezaron los mexicanos a hacer muchos progresos en la educación pública gratuita? (3) ¿Qué materias enseñaron los frailes a los indios? (4) ¿Cómo avanzó Antonio de Mendoza la educación mexicana? ¿Y Luis de Velasco? (5) ¿Por qué no pudo Benito Juárez hacer mucho para su programa educacional? (6) ¿Quién estuvo en conflicto con el gobierno a causa de la educación?

LA EDUCACION DEL SIGLO VIGESIMO: (1) ¿Por qué pudo el Presidente Camacho disminuir el conflicto entre la iglesia y el gobierno? (2) Describa la campaña de Camacho en contra del analfabetismo. (3) ¿Qué hicieron en las plazas los secretarios públicos durante muchos años? (4) ¿Hay bastantes maestros y escuelas para todos los muchachos hoy? (5) ¿Qué hacen unos pueblos si no reciben del gobierno una escuela prefabricada? (6) Describa las misiones de cultura. Nombre tres materias que enseñan. (7) ¿Qué método extraño se usa para enseñar a los indios a quienes no les gusta aprender? (8) ¿Qué hizo la india ciega de Guanajuato?

CHAPTER VI

LA ARTESANIA: (1) ¿Qué hicieron los españoles con las obras de arte después de la Conquista? (2) Nombre dos cosas que los españoles enseñaron a los indios usar en sus artes. (3) ¿Qué hicieron los indios poco a poco al arte? (4) ¿Qué fue una de las primeras culturas de las tierras bajas de Veracruz?

PREGUNTAS

(5) Describa las caras de las gigantescas cabezas esculpidas que se encontraron en esta región. (6) ¿Cuánto pagó John L. Stephens por las ruinas de una ciudad maya? (7) ¿Qué ley aprobaron los mexicanos en 1934 que fue pertinente a los artefactos precolombianos? (8) ¿Influyó el período revolucionario en las obras de artistas?

LAS OBRAS LITERARIAS: (1) ¿Quién fue la escritora más célebre durante la era colonial? ¿Qué escribió? (2) ¿Quién es uno de los autores más estimados de México hoy? Nombre una de sus obras más famosas. (3) ¿Por qué resulta la situación muy difícil para esta generación de artistas de todas clases?

ARTESANIA FOLKLORICA: (1) Nombre dos maneras en las cuales el gobierno ha ayudado a estimular un nuevo desarrollo de su artesanía folklórica. (2) ¿Cómo afectan los turistas las demandas para productos de arte? (3) ¿Pusieron las nuevas carreteras en peligro al arte popular? (4) ¿En qué manera ayudaron?

LOS CINEMAS Y LOS TEATROS: (1) ¿Quiénes son los actores y productores en los pueblos cuando los dramas se ejecutan en las calles? (2) ¿Dónde se ejecutan los dramas "portátiles"? (3) Aproximadamente, ¿cuántas películas se hacen en México cada año? ¿Hacen más películas en otros países de la América Latina? (4) ¿Quién es un famoso comediante mexicano?

LA MUSICA: (1) ¿Qué refleja la música popular? ¿Quiénes son los "mariachis"? (3) Nombre tres cosas usadas por los indios para disfrazarse en las fiestas y en las ceremonias religiosas. (4) Nombre tres ejemplos de arte que se encuentran en todo México.

CHAPTER VII
LOS VOLADORES: (1) Generalmente, ¿cuántos voladores ejecutan? (2) Aproximadamente, ¿cuántos metros de altura tiene el palo? (3) ¿Cuántos indios se necesitan para arrastrar el palo hasta el pueblo? (4) Nombre tres cosas que los indios ponen en el hoyo como "ofrendas." (5) ¿Qué creen los indios que harán las ofrendas? (6) ¿Con qué enrollan el palo para facilitar la subida a la cima? (7) ¿Qué llevan los voladores cuando suben al palo? (8) ¿Bailan todos los voladores sobre la plataforma? (9) ¿Qué hacen los espectadores cuando los voladores están fuera de peligro?

CHAPTER VIII
LA CIUDAD DE MEXICO: (1) ¿Qué dijo un dios a los indios aztecas? ¿Obedecieron? (2) ¿De qué construyeron su ciudad? (3)¿Qué colocaron para conectar la ciudad isla con el continente? (4) ¿Capturó Cortés Tenochtitlán en su primer ataque? (5) ¿Qué hicieron los españoles a la ciudad

cuando la capturaron finalmente? (6) ¿Qué problemas de construcción hay en México, D.F., hoy?

LO ANTIGUO Y LO MODERNO: (1) Nombre tres ejemplos de "lo antiguo" y "lo moderno" como se ven en México, D.F. (2) ¿Cuántos pisos tiene la Torre Latinoamericana? (3) ¿Qué descubrieron los excavadores cuando la Torre estaba en construcción? (4) ¿Qué hay en los letreros pequeños que se encuentran al lado del camino en todo el país?

ALGO DE LA CIUDAD: (1) ¿Cómo se llama la plaza central de México, D.F.? ¿Cuál es su nombre oficial? (2) ¿Qué es la Catedral Nacional? (3) ¿Quién tiene su oficina en el Palacio Nacional? ¿En el Palacio Municipal? (4) ¿Qué es el Monte de Piedad? (5) ¿Cómo se llama el bulevar principal? ¿Cuántos metros de ancho tiene? (6) ¿Cuántas hectáreas tiene el Parque Chapultepec? (7) ¿Cuál es una de las atraciones principales del Palacio de Bellas Artes? ¿Cuánto costó? (8) ¿Cómo empezaron los "jardines flotantes" del Lago Xochimilco?

CHAPTER IX

PASADO—PRESENTE—FUTURO: (1) ¿De qué parte de la historia mexicana hay registros escritos? (2) ¿Quiénes fueron designados por la corona española para gobernar la "Nueva España"? (3) ¿Quiénes fueron los gachupines? ¿Los criollos? ¿Los mestizos? (4) Quién fue el sacerdote criollo que dirigió la primera rebelión en contra de España? ¿Qué le pasó (5) ¿Quién se ocupó de la lucha? (6) ¿Quién fue Iturbide? ¿Qué hizo para ayudar a México a ser un país libre?

EL GOBIERNO: (1) ¿Fueron solucionados todos los problemas de México cuando llegó a ser una república? ¿Por qué? (2) ¿Qué país invadió y ocupó México en 1863? (3) Quién fue designado como emperador de México? (4) ¿Cómo llegó Díaz a ser presidente? (5) ¿Durante cuántos años gobernó Díaz como un dictador? (6) Nombre tres cosas que Díaz ayudó a desarrollar. (7) ¿Cómo fueron tratados los indios durante el régimen de Díaz? (8) ¿Qué quiso Madero para México? (9) Nombre tres programas que el gobierno empezó en los siguientes veinte años. (10) ¿Es México conocido como "país de progreso" hoy?

VOCABULARIO

A

a, to; in; at; by; of; toward
abierto, open
(se)ablandó, softened
abrigo, overcoat
abruptas, sharp
abundantes, abundant
a causa de, because of
acariciar, to caress
accesible, accessible
acelera, speed
a centenares, by the hundreds
acentúa, accentuates
aceptar, accept
acequia, gutter
aceras, sidewalks
acero, steel
acontecimientos, events
activamente, actively
adecuada, adequate
adelanta, surpasses
adelante, forward
además, besides
adicional, additional
admiración, admiration
admirado, admired
adoptó, adopted
(se)adoraban, worshipped
adultos, adults
aeropuertos, airports
afectan, affect
a fin que, so that
agachados, squatters
(se)agarran, grab ahold
agarrar(se), hang onto
agencias, agencies
agradecida, grateful
agregado, added
agrícola, farming
agricultores, farmers
agricultura, agriculture
agua, water
agua corriente, running water
aguardan, await
agudo, shrill; keen
águila, eagle
ahora, now
aire, air
ajeno, another's
al, to the; at the
a la calle, facing the street
al aire libre, open air
a la moda, style
alcance, in reach

alcanza, reach
alegre, gay
alegría, gayety
algo, something
algodón, cotton
algunas (os), some
alimento, diet
alma, soul
almacenes, department stores
aloja, houses
a lo largo de, along
alrededor, around
alta (o), tall; high
altura, altitude
al viajar, on travelling
allá, there
allí, there
ama de casa, housewife
amarillo(a), yellow
ambición, ambition
ambos, both
ambulantes, travelling
a menudo, often
amigos, friends
amontonaron, piled
amplia, full; ample
analfabetismo, illiteracy
ancho, width
anclado, anchored
anduvieron, walked
animales, animals
ansioso, anxious
antepasado, ancestor
antes, before
antigua(o), ancient
añadieron, added
años, years
apacientan, graze
aparecen, appear
apareció, appeared
aparta, sets aside
apartamentos, apartments
apartamientos, apartments
a pesar de, in spite of
aplastado, crushed
apoyo, backing; support
aprendían, learned
aprendido, learned
aprobar, pass (a law)
aproximadamente, approximately
aquellas(os), those
arados, plows
árbol, tree
arcilla, clay
árida, arid; barren
arma, weapon

103

armazón, frame
arqueólogo, archeologist
arquitectónico, architectural
arquitectura, architecture
(se)arraigaron, took root
arrastrando, dragging
arrastrar, drag
arriba, up
arroz, rice
artefactos, handiwork
artesanía, arts and crafts
artesano, craftsman
artículos, articles
asada, roast
(se)asegura, secures
asegurar, assure
asesinatos, assassinations
así, so
asignada, assigned
asistir, attend
(se)asombraron, were astounded
astronomía, astronomy
asuntos, affairs
a su vez, in turn
atan, tie
atavíos, attire
aterrizan, land
atracciones, attractions
a través de, across
aumenta, increase
aumentanda, increasing
aunque, although
austríaco, Austrian
autores, authors
autoriza, authorize
avanzó, advanced
ave, bird
a veces, sometimes
avenida, avenue
aversión, dislike
ayudantes, helpers
ayudaron, helped
azulejos, glazed tile

B

baila, dance
bailar, dance
bailarán, will dance
bailarines, dancers
bailes, dances
baja(o), low; under; below
bajado, dropped
bajando, dropping

balcones, balconies
balsa, raft
bancaria, banking
banco, bank
banda, band
barato, cheap
barranco, canyon
barrio, section
(se)basa, is based
basada, based
básica, basic
basquetbol, basketball
bastante, enough
batalla, battle
bebe, drink
bebidas, drinks
beca, scholarship
beisbol, baseball
bellas artes, fine arts
belleza, beauty
bendito, blessed
beneficio, benefit
biblioteca, library
bien, well
blanca(o), white
blando, soft
blusa, blouse
bodas, weddings
boga, vogue
bordadura, embroidery
bordes, edges
borla, tassel
bosques, forests
botas, boots
brasero, brazier
bravo, fierce; brave
brazo, arm
brillante, brilliant
bronco, bronc
brutal, ruthless
buena(o), good
bueyes, oxen
bufanda, scarf; muffler
bulevar, boulevard
buscan, look for
buscarán, will look for

C

caballitos, merry-go-round
caballos, horses
cabaretes, nightclubs
cabeza, head
cabra, goat
cada, each

cadena, chain
café, coffee
cal, lime
calabaza, calabash, pumpkin
calendario, calendar
calidad, quality
cálido, hot
caliente, hot
calle, street
callejuela, alley
cambiados, moved
cambian, trade
cambio, change; trade
camina, walks
camino, road
camiones, trucks
camisas, shirts
campana, bell
campaña, campaign
campeonato, championship
campo, field
campo de los duelistas, dueling ground
canales, canals, channels
canasta, basket
canciones, songs
candelero, candlestick
cantan, sing
cantando, singing
cantar, crow
caña, cane
capilla, shrine
capturado, captured
capturó, captured
caras, faces
características, characteristics
carbón, coal
cargo, office
cariño, affection
carne, meat
carnavales, carnivals
caro, expensive; dear
carpintería, carpentry
carretera, highway
carta, letter
carteles, posters
casa, house
casamiento, marriage
casco, helmet
caserío, village; settlement
casi, almost
catedral, cathedral
católico romano, Roman Catholic
causaron, caused

cedros, cedars
celebración, celebration
celebran, celebrate
célebre, famous
celulosa, cellulose
cemento, cement
centígrado, centigrade
centímetro, centimeter
centro, center
cerámica, pottery
cerca de, near
cercanas(os), nearby
cercanías, vicinity
cerdo, hog
cero, zero
cerro, hill
cervecería, brewery
cerveza, beer
ciega, blind
ciencia, science
cientos, hundreds
cierta(o), certain
ciertamente, certainly
cigarillos, cigarettes
cigarros, cigars
cima, top
cimientos, foundations
cinco, five
cincuenta, fifty
cine, movie
cintas, ribbons
cintura, waist
círculos, circles
ciruela, plum
citas, dates
ciudad, city
civilización, civilization
clase, class; kind
clasificado, classified
claveles, carnations
clima, climate
cobrando, charging
coleccionistas, collectors
colgado, hanging
colgarán, will hang
colocado, arranged
colorado (o), Mex. word for red
colorido, colorful
combatir, fight
combina, combine
come, eat
comen, eat
comediante, comedian
comenzó, started

105

comerciales, commercial
comercio, commerce
competencías, competitions
comidas, food
como, as; like
¿cómo?, how?
compleja, complex
completamente, completely
completo, complete
compran, buy
compras, shopping
comprende, understands
compró, bought
(se)comprueba, is proven
comunidades, communities
con, with
conectarla, connect it
conflicto, conflict
con frecuencia, often
(se)congrega, gather
conjunción (en), together with
(se)conoce, is known
conocido, known
conquistaron, conquered
consiste, consists
constante, constant
constantemente, constantly
construcción, construction
construirían, would build
construida(o), built
construyendo, building
construyeron, built
consultores, advisors
contar, tell
continente, continent
continúan, continue
continuado, continued
contra, against
contrarrebeliones, counter-revolts
contrario, contrary
conversan, talk
convertir, convert
corazón, heart
corbata lazada, bow tie
cordeles, strings
córnea, cornea
corona, crown
correctamente, correctly
correo, postoffice
corridas de toros, bullfights
corrido, folk song
corriendo, running
corriente, flow
cortado, cut

corta(o), short
cortaron, cut
cosas, things
cosecha, harvest
costa, coast
costero, coastal
costumbres, customs
creada, created
creadores, creators
crear, create
crearon, created
crecer, grow
crecieron, grew
crecimiento, growth
creció, grew
(se)cree, believed
creencias, beliefs
(se)creyó, believed
criada, maid
criados, raised
crían, raise
crin, mane
cristianas, Christians
cristianismo, Christianity
crujiente, crisp
cuadrado, square
cuadras, blocks (city)
cual, which
cuales, which
cualquier, any
cuando, when
¿cuánto?, how much
cuatro, four
cubre, cover
cubierto, covered
(se)cubrió, was covered
cubrir, cover
cuelga, hangs
cuentan, tell
cuento, story
cuero, leather
cuerpo, body
cuidadosamente, carefully
culpa, blame
cultivar, cultivate
cultivo, cultivation
cultura, culture
curandera, "quack" doctor
curva, curve
chaleco, vest
chaperón, chaperone
charro, cowboy
chilla, squeals
china, Chinese

D

dan, give
dando vueltas, circling
dan forma, form
dar un paseo, take a walk
daños de terremoto, earthquake's damage
de, of; from; about; concerning
debajo mismo, just below
(se)debe, is due to
debía, owed
(se)decidieron, decided
decir, tell; say
declaraban, declared
decorado, decorated
decoran, decorate
decreta, decreed
dedicaban, devoted
defender(se), defend itself
definidamente, definitely
de habla española, Spanish-speaking
de hecho, in fact
dejado, left
del, of the; from the
"del centro," downtown
demandas, demands
demasiado, too much
democrático, democratic
demuestra, demonstrates
dentro de, within; inside of
de oficio, officially
dependen, depend
dependían, depended
dependido, depended
deportes, sports
deportistas, sportsmen
depósito, deposit
derecho de, right to
derribar, subdue; overthrow
derrota, defeat
desapareció, disappeared
desarrollada, developed
desarrollaron, developed
descansa, rests
descenso, descent
descienden, descend
descubren, discover
descubrimientos, discoveries
desde, from
(se)desenrollan, unwind
desfile, parade
desierto, desert
designaba, appointed
designaron, appointed
desilusión, disillusionment

desmedida, without measure
desorganizada, disorganized
desposeer, dispossess
después, then
después de, after; next to
(se)destacaron, distinguished
destrucción, destruction
destruyeron, destroyed
detención, arrest
de vez en cuando, from time to time
(se)devolviera, returned
devorando, devouring
día, day
día de compras, shopping day
día de la fiesta, holiday
diagnóstica, diagnoses
dialecto, dialect
diámetro, diameter
dice, tell
(se)dice, is said
diciembre, December
dictador, dictator
dieciséis, sixteen
diecisiete, seventeen
(se)dieron cuenta de, realized
difíciles, difficult
dificultad, difficulty
dignidad, dignity
digno, dignified
dijo, told
dinero, money
dio, gave
dios, god
dirección, direction
dirigida, led; directed
dirigió, led
dirigir, direct
disciplina, discipline
discuten, discuss
diseños, designs
disfrazan, disguise
disgustar, to disgust
disminuir, diminish
distancia, distance
distinción, distinction
distinta, different
distrito, district
diversiones, amusements
(se)divide, is divided
(se)divierten, enjoy
divierten, entertain
divertir(se), entertain themselves
doble, double
dólares, dollars

107

dolor, pain
dominando, controlling
dominar, control; rule
dominaron, controlled
dominio, rule
domingo, Sunday
donde, where
dos, two
dos terceras, two-thirds
drama, play
dramatizan, dramatize
dudaron, doubted
dura, lasts
durante, during
durante todos, throughout
durar, last
duró, lasted

E

economía, economy
económico, economical
edificios, buildings
educar, educate
efectuar, to accomplish
en efecto, in fact
ejecución, execution
ejecutado, executed
(se)ejecutan, performed
ejemplo, example
ejército, army
el, the
él, he
electo, elected
electrificar, electrify ·tion
electrizante, spectacular
elegir, choose
(se)eleva, rises
él mismo, himself
ella, she
ellos, (as), them
emblema, emblem
embotellada, bottled
empedradas, stone-paved; cobblestone
emparejando, smoothing
emperador, emperor
empezados, begun
empezar, begin
empezaron, began
empezó, began
empleados públicos, public employees
empleo, employment; job
(se)empuja, push
empujándose, pushing himself
en, in; on; upon

en cambio, on the other hand
encantador, enchanting
enciende, light
(se)encontraban, were found
en contra de, against
(se)encontrado, found
encontrar(se), be found
en cuanto a eso, for that matter
(se)encuentra, found
(se)enderezan, straighten up
energía, energy
enérgica, lively
enero, January
enfermedad, disease; illness
enfermera, nurse
enfermo, patient
enlazadas, enlaced
(se) enorgullecen, pride themselves
en realidad, actually
enrollan, wind, roll (as film)
ensancha, widens
enseñado, taught; trained
enseñarlo, teach it
enseñaron, taught
enteramente, entirely
enteras, entire
en todas partes, everywhere
en todo, throughout
entonces, then
entre, between
en vez de, instead of
época, era
equipo, equipment; team
era, was
erosión, erosion
es, is
esa, that
escenario, stage
esclavos, slaves
escolar, scholar
escribían, wrote
escribió, wrote
escribir, write
escrito, written
escritores, writers
escritura, writing
escuchaban, listened to
escuchan, listen to
escuchar, listen to
escuela, school
esculpida, sculptured
escultor, sculptor
esforzando, trying
esos, those

espacio, space
espalda, back
espantoso, frightful
España, Spain
español, Spanish
españoles, Spaniards
especial, special
especializado, specialized
especialmente, especially
espectacular, spectacular
espectáculo, show
espectador, spectator
espejo, mirror
esperan, expect
esperanzas, hopes
espíritu, spirit
esposa, wife
espuela, spur
esquina, corner
esta, this
estaba, was
establecido, established
establecieron, established
estableció, established
estación, station; season
estadística, statistics
Estados Unidos, United States
estadounidense, of the U.S.
están, are
estaño, tin
estas, these
estatuas, statues
este, this; east
estilo, style
estimado, admired
estimular, stimulate
estimuló, stimulated
esto, this
estoicismo, stoicism
estrecha(o), narrow; tight
estrellas, stars
estudió, studied
estuvieron, were
estuvo, was
europeos, Europeans
exactamente, exactly
exacto, exact
excavador, excavator
excavan, dig
excelente, excellent
excepto, except
éxito, success
expedición, expedition
explorador, explorer

exportación, export
exportar, export
expresar, express
expresó, expressed
extendida, spread out
extensión, extension
extensión de agua, body of water
extenso, extensive
exteriores, outsides
(se)extiende, extends
extranjeras, foreign
extraño, strange
extraordinarias, extraordinary
extremo, end; extreme

F

fabrican, manufacture
fábricas, factories; plants
fácil, easy
facilitar, make easy
fácilmente, easily
falda, skirt
falta, shortage
famosa(o), famous
fango, mud
fascinantes, fascinating
feria condada, county fair
ferrocarriles, railroads
fértiles, fertile
figura, figure
fila, row
finales, ends
finalmente, finally
finanza, finance
flauta, flute
flirtean, flirt
florecen, bloom
flores, flowers
flotante, floating
flotaron, floated
fluyen, flow
fondos, funds
forma, forms
(se)formó, was formed
formularios, forms
foro, forum
fortificar, to strengthen
frailes, friars
franceses, French
Francia, France
frecuentemente, often
frase, sentence

fría, cold
frijoles, beans
frita, fried
frontera, border
frotando, rubbing
frutas, fruits
fue, was
fuegos artificiales, fireworks
fuera, out; outside
fueron, were
fuerte, strong; loud
fuertemente, strongly
fuerzas, forces
fundado, founded
fundamentos, foundation
fundó, founded

G

gachupín, depreciatory for Castillian
galería, gallery
gallardo, handsome
gallo, rooster
ganado, cattle; livestock
(se)gana la vida, make a living
ganaron, won
ganarse la vida, make a living
generalmente, generally
generosas, generous
gente, people
gigantescas, huge; gigantic
girar, revolve; spin
gobernó, governed
gobierno, government
golfo, gulf
gorro, bonnet
graciosamente, gracefully
grado, degree
gradualmente, gradually
grandes, large
grandísimo, very large
granjas, farms
gratuita, free
gritan, cry out; holler
grupo, group
grueso, thick
guajolote, turkey (Mex.)
guardar, store
guerra, war
gustaría, would like
(le)gustó, liked

H

ha, has
había, had
habían, had
habitable, livable
habitantes, inhabitants

hablan, speak
habló, spoke
hace, ago; make; do
hacen, make; do
hacendados, hacienda owners
hacer, make; do
hacia, toward
hacían, did
haciendo, making
han, have
hará, will make; do
harán, will do; make
harina, meal
hasta, even; until; up to; to
hay, there is; there are
hecha en casa, homemade
hecho, made; done; fact
hecho a mano, handmade
hecho retroceder, set back
hechura, workmanship
hectáreas, hectares
hemisferio, hemisphere
herbosa, grassy
heredaron, inherited
herencia, heritage
hermosa, beautiful
herramienta, tool
hervido, boiled
hicieron, did; made
(se)hicieron, became
hidroeléctrica, hidroelectric
hierro, iron
hijos, children; sons
hirviendo a fuego lento, simmering
historia, history
histórico, historical
hizo, did; made
(se)hizo, made himself; was made
hojalata, tin plate
hojas, leaves
hombre, man
hondo, deep
honorabilidad, honorability
honorarios, fees
honran, honor
horas, hours
hoy, today
hoyito, small hole
hoyo, hole
hubo, there were; there took place
hueco, hollow, hole
huellas, traces
huevo, egg
humilde, humble
hundimientos, cave-ins

I

idéntico, identical
idioma, language
ídolos, idols
iglesia, church
igual, equal
ilegalmente, illegally
impaciencia, impatience
impedir, slow down; hinder
ímpetu, impetuosity
importante, important
imposible, impossible
imprenta, printing press
impuestos, taxes
inclinados, sloping
inclinan, tilt
incluidos, included
inclusive, including
incluye, includes
incluyendo, including
(se)incorporan, joined
indica, indicate
indígenas, indios, Indians
indios, Indians
individualista, individualistic
industria, industry
inexplorada, unexplored
infancia, infancy
infante, child, infant
inferiores, inferior
influencia, influence
influyó, influenced
inmediatos, immediate
inspira, inspires
instruir, instruct
instrumentos, instruments
interés, interest
interesantes, interesting
interior, inside
interpretaciones, interpretations
intervalos, intervals
invadieron, invaded
inversiones, investments
investigación, research
ir, go
irrigada, irrigated
isla, island

J

jabón, soap
(se)jactan, boast
jaguares, jaguars

jardines, gardens
jarrones, large vases
jeroglíficos, hieroglyphic
jinetes, horsemen
jornada, workday
jóvenes, young; youth
joyas, jewels; gems
juguetes, toys
julio, July
juntas, together

K

kilómetro, kilometer

L

labios, lips
labranza, labor
ladera, slope
lado, side
ladrillo, brick
lago, lake
laguna, lagoon
la mayor parte de, most of
lana, wool
largo, long
las, the
latino, Latin
la vida privada, private life; privacy
lazada, bow
lecho de un lago, lake bed
lectura, reading
leer, to read
legales, law
legumbres, vegetables
lejos, far
lengua, language
lenta, slow
lentamente, slowly
leones, lions
les, to them
letrero, sign
ley, law
leyenda, legend
libertad, freedom
libertaron, freed
libre, free
. libremente, freely
libros, books
licencias, licenses
líder, leader
liga pequeña, "little league"
linaje, lineage

limita, border
limpia, clean
lírica, lyric
lirios, lilies
literarias, literary
literatura, literature
lo, it
lo menos, at least
los, the
los de abajo, the underdogs
lubricado, greased
lucha, struggle
lugares, resorts; places
lujoso, luxurious
luna, moon

LL

llama, calls
llamado, called
llamar(se), call themselves
(se)llamaron, called
llamativo, flashy
(se)llamó, called
llanos, plains
llegada, arrival
llegado, arrived
llegó a ser, became
llenada, filled
(se)llenaron, were filled
llenos, filled; full
lleva, carries
(se)llevaban, were carried
llevan, carry; wear
(se)llevan, are carried
llevando, carrying; wearing
lluvia, rain
lluvia caída, rainfall
lluviosa, rainy

M

machete, large knife
macizo, flower bed
madera, wood
maestro, teacher
magnífica, magnificent
maíz, corn
majestuosa, majestic
manadas, herds
manantiales, springs
mandado hacer, made to order
manera, way
manga, sleeve

mano, hand
manso, tame
manta, blanket
mantener, maintain
mantenida, maintained
mantilla, mantón, shawl
manufactura, manufacture
manufacturero, manufacturing
manzana, apple
mañana, tomorrow; morning
maquinaria, machinery
mar, sea
maravillosa, marvelous
marcado, marked
mármol, marble
más, more
máscaras, masks
más tarde, later
matemáticas, mathematics
materiales, materials
materias, subjects
matrimonios, weddings
mayo, May
mayor, larger
media, average
médica, medical
mejor, better
mejorado, better
mejorar, improve
mejoras, improvements
mejores, best
menos, less
mentira, lie
mercado, market
mercadería, merchandise
mercancías, merchandise
mercante, commerce
mercurio, mercury
meses, months
meseta, plateau
meta, goal
metal, metal
método, method
metro, meter
mexicano, Mexican
mezcla, blend; mixture
midieron, measured
mientras, while
miles, thousands
milla, mile
millón, million
minas, mines
minerales, minerals

minuto, minute
mira, watch
mirador, balcony
miseria, misery
misión, mission
mismo, same; self
mismos, themselves
mitad, half
modelo, model
moderno, modern
molduras, molds
molido, ground up
momento, moment
monarca, monarch
monja, nun
mono, monkey
montañas, mountains
montañosa, mountainous
montar, mount
monte, mound
montepío, pawnshop
monumento, monument
morena, brown
mosaicos, mosaics
mostraban, showed; demonstrated
mostrar, show
muchachas, girls
muchachos, boys; children
muchas, many
muchísimas, great many
muchos, many
muebles, furniture
muerte, death
muertos, dead
muestra, shows
mujeres, women
mundial, world wide
mundo, world
municipal, municipal
murales, murals
muros, walls
museo, museum
música, music
musicales, musical
músicos, musicians
muy, very

N

nacido, born
nacieron, born
nacional, national
nacionalista, nationalistic

nada, nothing
naranja, orange
naturalmente, naturally
navegación, navigation
Navidad, Christmas
(se) necesitar, is needed
necesitaron, needed
negra, black
ninguna, any
ningunos, any
niños, babies; children
nivel del mar, sea level
nochebuena, poinsetta
nombre, name
noroeste, northwest
norte, north
noventa, ninety
nueva, new
nuevos, new
número, number
nunca, ever
nutren, nourish

O

o, or
obedecieron, obeyed
obispo, bishop
objeto (ser), be the object
obligación, obligation
obligadas, obligated
obligatorio, compulsory
obras, works
obreros, workers
observaban, observed
observando, observing
obstruyeran, blocked
obtener, obtain
obtuvo, obtained
occidental, western
océano, ocean
ocelotes, ocelots
ocho, eight
octubre, October
ocupaciones, occupations
ocuparon, occupied
(se)ocupó de, carried on
ocurre, occurs
oeste, west
oficial, officer
oficinas, offices
oficio, official
ofrecen, offer
ofrendas, offerings

ojos, eyes
olor, smell; odor
olla, pot
operario, operator
oposumes, opossums
opusieron, opposed
opuso, opposed
oración, prayer
orquídeas, orchids
orgullo, pride
orgulloso, proud
oriental, eastern; oriental
originales, original
ornado, ornate
oro, gold
oscilan, fluctuate
oscuros, dark
otra(o), other; another
otra vez, again
oveja, sheep
(se)oye, is heard
(se)oyen, are heard

P

padres, parents
paganas, pagans
pago, payment
país, country
paisaje, vue
paja, straw
palabras, words
palacio, palace
palanca, lever
palma, palm
palmada, slap
palo, pole
panqué, pancake
pantalones, pants
pantanos, swamps
papelera, paper
papeles, paper
para, for
paradas, parades
parece, seems
(se)parecen, resemble
parecidas, similar
pareció, seemed
paredes, walls
parque, park
parte, part
parten de, start from
participación, participation
participar, participate
participaron, participated
particulares, private

partidos, sides
pasa, passes
(se)pasan, are passed
pasaron, passed
pasatiempo, pastime
Pascua, Easter
paseo, drive; walk
paseos, rides
patente, noticeable
pavimentadas, paved
pavo, turkey
peces, fish
pelea, fight
pelea de gallos, cockfight
película, film; movie
peligro, danger
peligrosa, dangerous
pendiente, dangling
pensaban, thought
peñascoso, rocky
peón, day laborer
peor, worse
perdido, lost
peregrinaciones, pilgrimages
perfectamente, perfectly
periódicos, newspapers
perlas, pearls
permitió, permitted
pero, but
personas, persons
pertinente, pertaining
pesca deportiva, sport fishing
pescado, fishing
pescadores, fishermen
pescan, fish
pesquera, fishing
petrificado, petrified
petróleo, oil
pidiendo, asking for
pidió, asked for
pie, foot
piedad, mercy
piedra, stone
piedra angular, corner stone
piel, fur; skin
pinta, depicts
pintores, painters
pintoresca, picturesque
pinturas, paintings; pictures
pirámides, pyramids
piratas, pirates
pisos, stories; floors
planos, flat
plantaciones, plantations
plantado, planted
plantan, plant

plantar, plant
plantaron, planted
plantas, plants
plata, silver
plataforma, platform
plátano, banana
platillo, saucer
plato, dish
plaza, square; center of town
plomo, lead
pluma, feather
población, population
pobre, poor
poca(o), little
pocas(os), few
poder, be able; power
poderoso, powerful
podrían, would put
poesía, poetry
polen, pollen
políticos, political
pollo, chicken
pompa, showiness; pomp
poner, put
poner(se) cabeza abajo, put
   themselves upside down
(se)pone frente, faces
popular, folk
por, by; through
por arriba y abajo, up and down
porcentaje, percentage
por ciento, percent
por ejemplo, for example
por encima de, over
por eso, for that reason
por la noche, at night
por lo común, generally
por lo menos, at least
por lo tanto, therefore
por lo visto, evidently
por medio de, by means of
por otra parte, on the other hand
¿por qué?—why?
porque, because
portales, porches; patios
portátiles, portable
porteros, janitors
portugueses, Portuguese
por último, at last
posada, perched
posible, possible
postre, dessert
potencia, strength; ability
pozo, well
precedió, preceded

precio, price
precioso, precious
precolombiano, pre-Columbian
predicho, predicted
predomina, predominate
prefabricada, prefabricated
preferido, preferred
prenda (de vestir), garment
preparando, preparing
preparó, prepared
preservar, preserve
préstamos, loans
pretensiones, pretentions
primer, first
primera (o), first
primitivo, primitive
princesa, princess
principalmente, principally
príncipe, prince
principio, beginning
privación, privation
probablemente, probably
problema, problem
proceso, process
produce, produces
productor, producer
productos, products
productiva, productive
progresivo, progressive
progreso, progress
prohibiendo, prohibiting
pronto, soon
propietarios, owners
propios, own
proporciona, provide
propuso, proposed
proveen, provide
proveerá, will provide
próximo, next
proyectos, projects
públicos, public
pudieron, could
pudo, could
pueblitos, small towns
(el)pueblo, the populace
pueblos, towns
puede, can
puente, bridge
puesta, placed; put
puesto que, since
puestos, posts; stalls
pulgada, inch
pulpa, pulp
punta, tip

MUCHAS FACETAS DE MEXICO

puntiagudo, pointed
punto, point
purificar, purify
puro, pure
pusieron, put
puso, put

Q

que, that; which
¿qué?, what?
quebrado, bankrupt
queda, remains
quedaban, remained
quedó, remained
querían, wanted
queso, cheese
quien, who
quiere, wants
quisieron, wanted
quiso, wanted

R

ramas, branches
ramitas, little twigs
rancheros, ranchers
rápida(o), swift; rapid
rara, strange; rare
rayas, stripes
razas, races
realidad, truth
reatas, ropes
rebaño, flock
rebelaron, revolted
rebeldes, rebels
rebelión, revolt
(se) rebeló, revolted
rebozo, Mexican shawl
reciben, receive
recibió, received
reciente, recent
(se) reconocen, are recognized
reconstruyeron, reconstructed
recreación, recreation
recreacional, recreational
rectangulares, rectangular
recuerda, remembers
recurriendo a, turning to
recursos, resources
rechazado, driven back
"redes de mariposas," butterfly shaped nets
redistribución, redistribution
redistribuir, redistribute
redonda, round
redondeados, rounded

reelecciones, re-elections
(se) redujera, reduced
refinerías, refineries
refleja, reflects
reflejaron, reflected
reforma, reform
regar, irrigate
régimen, regime
regiones, regions
reír(se), laugh
remotos, remote
renovación, renovation
renunciar, resign
repisa, sill
representado, represented
representaron, represented
república, republic
residen, reside
residentes, residents
resiste, resists
resistir, resist
resolver, solve
respeto, respect
responsables, responsible
resto, rest
restricciones, restrictions
resulta, turned out
resultados, results
revoluciones, revolutions
reyes, kings
reza, pray
rica(o), rich
(se) ríen, laugh
ríos, rivers
rítmica, rhythmic
ritmo, rhythm
ritos, rites
robles, oaks
rodeada, surrounded
rodeaban, surrounded
roja, red
rojos fuertes, bright reds
románticos, romantic
romería, picnic
romper, break
ropa, clothing
rosada, pink
rueda, wheel
rueda de la fortuna, Ferris Wheel
ruido, noise
ruidoso, noisy
ruinas, ruins
rurales, rural

S

(se)sabe, is known
saber, to know
sacerdote, priest
salario, salary
salidas, outlets
salir, leave
salón de baile, ballroom
saltan, jump
saltar, jump
salud, health
saludables, healthful
salvaje, savage
sangre fría, courage
sangrientas, bloody
santo patrón, patron saint
sarape, serape
sardinas, sardines
satisfactorio, satisfactory
seca, dry
secaron, dried
sección, section
secuestrada, kidnapped
seda, silk
según, according to
seguro, secure
seis, six
selva, jungle
semilla, seed
sencillo, simple
sendas para caballos, bridle paths
sendero, trail
sentado, seated
sentar(se), sit
sentido, sense
sentimiento, sentiment
sepan, know
separa, separate
septiembre, September
ser, to be
serio, serious
serpenteaban, wound
serpiente, snake
servicio, service
sesenta, sixty
setenta, seventy
si, if
sí, yes
sido, been
siempre, always
sienta, sits
(se)sientan, sit
sienten, feel

siglo, century
siguen, follow
siguientes, following
silvestre, wild
símbolo, symbol
sin, without
sin embargo, however
sin hacer caso, regardless
sino, but
sistema, system
sistemáticamente, systematically
sitio, place
situación, location
situada, situated
sobre, on; upon; on top of
sobresale, juts
sofocado, put down; crushed
sóla(o), only
solamente, only
soldado, soldier
solución, solution
solucionada, solved
sombrado, shaded
sombrero, hat
sombroso, shaded
son, they are
sonajillo, rattle
sonido, sound
sostener, support
su, his; hers; their
suben, climb
subida, climb
sudeste, southeast
sudoeste, southwest
suelo, dirt; soil
suenan, sounded
suficiente, sufficient
suma, utmost
sumamente, very
suministran, supply
superficie, surface; area
superior, upper
supiera, knew
sur, south
sus, his; hers; their

T

taberna, tavern
tablón, plank
tal, such
tal como, just as; such as
talentosas, talented
tallada, carved

117

MUCHAS FACETAS DE MEXICO

tamaño, size
también, also; too
tamboril, small drum
tamborilero, drummer
tan, as; so; so much
tantas, so many
tanto, as much
tanto como, as well as
tarda, take time
teatro, theater
técnicas, technical
tejado, roof
tejas, tile
Texas, Texas
teje, weaves
tejido, woven
tejido tirante, tightly woven
tejiendo, weaving
telón, theater curtain
temperatura, temperature
templada, temperate
temprana, early
tendrán que, will have to
tendría, had
tener, have
tenga, has
tenía, had
tenían, had
tenis, tennis
tensiones, tensions
tentativa, attempt
terceras, third
terminación, completion
terminan, finish
terminaron, ended
tesorería, treasury
texto, text
tiempo, time
tienda, store; tent
tiene, has
tienen, have
tierra, land
típicas, typical
tipos, types
tirante, tight
títeres, puppets
tocan, touch; ring (bells); play
　(instruments)
todavía, still; yet; even
todo el mundo, everyone
todos, everyone; all
todos los días, every day
toma, takes
tomado, taken

torre, tower
totopos, a type of Mexican pancake
　from Oaxaca
trabajan, work
trabajando, working
trabajar, work
trabajo, work
trabajo fuerte, hard work
trabaron, tied
traducciones, translations
tráfico, traffic
traída, brought
traidores, traitors
traje, suit
trajeron, brought
tranquilamente, calmly
transforma, transforms
transplante, transplant
(se)transportan, are transported
transportes, transportation
tratado, treated
tratan, try
treinta, thirty
tres, three
tribus, tribes
trigo, wheat
triste, melancholy
triunfo, triumph
trozo, piece
tubos sin costura, seamless pipe
tuerce, twists
turista, tourist
turísticas, tourist
tuvieron, had
tuvo, had

U

último, latest
un, una, uno, one; a; an
unas, some
una tercera, one-third
una vez, once
una vez más, once again; again
(se)une, joins
única, singular; only
único, only
unificado, unified
unificar, unify
universidad, university
unos, some
urbano, urban
usado, used
usando, using
usar, use

118

usarlo, use it
usaron, used
utensilios, utensils
útil, useful
útiles, useful

V

va, goes
vacas, cows
vacío, vacuum
valiente, courageous
valor, value
valle, valley
vaporosas, steaming
varía, varies
variado, varied
varias(os), several
variedad, variety
(se)ve, is seen
veces, times
vecino, neighbor
vehículo, vehicle
veinte, twenty
velas, candles
velocidad, speed
ven, see
vendedores, vendors
(se)venden, sold
(se)vendieron, sold
ventanas, windows
ver, see
verdadero, true; truly
verdes, green
vertientes, slopes
vestido, costume; garb; dress
vestidos, dressed
vez, time
viaje, travel; trip
vida, life; livelihood
vida animal, animal life

vida de familia, family life
vides, vines
vidrio, glass
vidrio soplado, blown glass
vieja, old
viejos, old
vienen, come
vieron, saw
vigilan, watch over
vinieron, came
violencia, violence
virilidad, masculinity
virrey, viceroy
vista, sight
(se)visten, dress
(se)ven, are seen
vistoso, showy
vivas, cheers
viven, live
vivieron, lived
vivo, live; alive
voces, voices
volador, flyer
volar, fly
volcanes, volcanoes
volver, return
volviendo, becoming
volvió, returned

Y

y, and
ya, already
yema, yolk
yendo, going

Z

zinacantecos, group of Indians
zinc, zinc
zona, zone

NTC SPANISH PAPERBACKS

Literary Adaptations

Short Stories

Literature

Plays and Skits

Journeys to Adventure Series

Sr. Pepino Series

Graded Readers

Cultural Readers

Cross-Cultural Mini Dramas

NTC *NATIONAL TEXTBOOK COMPANY* • Skokie, Illinois 60076